D0580917

HEATHER, VOLMAAKT

Matthew Weiner

Heather, volmaakt

Vertaling
Paul van der Lecq

2017
DE BEZIGE BIJ
AMSTERDAM

Copyright © 2017 Matthew Weiner
Copyright Nederlandse vertaling © 2017 Paul van der Lecq
Oorspronkelijke titel *Heather, the Totality*
Oorspronkelijke uitgever Little, Brown and Company
Omslagontwerp Janet Hansen en bij Barbara
Omslagbeeld Stocksy en Getty Images
Foto auteur Jeff Vespa
Vormgeving binnenwerk Adriaan de Jonge
Druk Wöhrmann, Zutphen
ISBN 978 90 234 7239 1
NUR 302

debezigebij.nl

Een

MARK EN KAREN Breakstone waren al niet meer de jongsten toen ze trouwden. Karen liep tegen de veertig, had het opgegeven iemand te vinden die zich kon meten met haar vader en keek zo langzamerhand met enige bitterheid terug op de zeven jaar na haar opleiding toen ze een relatie had met haar voormalige docent kunstzinnige vorming. Na in contact te zijn gebracht met Mark had ze hun date zelfs bijna afgezegd omdat er maar één ding was dat in zijn voordeel leek te spreken: hij zou wel eens rijk kunnen worden. Haar vriendin, sinds lang getrouwd en voor de derde keer zwanger, had geen andere kwaliteiten genoemd. De gehuwde vriendinnen van Karen leken geobsedeerd door het feit dat ze jong waren getrouwd en daarom nooit rekening hadden gehouden met de rol die geld speelde in hun relatie. Nu ze wat verder waren in hun leven lagen ze 's nachts wakker en maakten zich zorgen om hun financiële zekerheid op de lange termijn. Karen zocht nog steeds een knappe man. Het leek haar onverdraaglijk dagelijks naar een lelijk iemand te moeten kijken en zich zorgen te maken om de orthodontie van haar toekomstige kinderen.

Maar niemand had Mark ook echt ontmoet. De vrouwen wisten dat hij een goede baan had en niet afkomstig was uit Manhattan en Karen zou navraag kunnen doen bij de echtgenoot van een van hen, die Mark kende, maar er waren toen nog geen mailtjes en sms'jes en niemand had er tijd voor om op onderzoek uit te gaan. Mark had haar nummer en als hij belde, was ze zeker niet van plan haar antwoordapparaat te laten opnemen. En hij had een aardige stem en klonk een beetje nerveus, wat betekende dat hij niet het type rokkenjager was. De weinig enthousiaste Karen stelde hun afspraak dus twee keer uit, maar ten slotte gingen ze samen ergens iets drinken, een spannend idee, behalve dat Karen erop had gestaan om af te spreken op een zondagavond.

In het gedimde licht van het café was Mark niet onaantrekkelijk; hij was alledaags, zoals een meisje alledaags kan zijn. Zijn gelaatstrekken leken niet heel markant, maar ook weer niet zo gelijkmatig dat je hem knap kon noemen. Hij had in elk denkbaar opzicht een bol en jeugdig gezicht: een bolle neus en bolle wangen, maar hij was wel weer slank van postuur, wat hem het uiterlijk gaf van iemand die je niet echt opviel.

Ze twijfelden nog of ze een tweede drankje zouden nemen toen hij een verhaal vertelde over iemand die zijn lunch uit de koelkast op het werk had gepakt en opgegeten. Het maakte hem niet uit wie het was, maar hij had een vermoeden omdat hij mosterd had gezien op de mouw van iemand bij de receptie. Hij vertelde Karen dat de meeste mannen zeggen dat ze gaan lunchen met een of andere klant, maar dan meestal samen in de kroeg belanden om sport te kijken, een dure grap en zonde van de tijd, en hij profiteert daarvan, want hij neemt zelf zijn lunch mee en gewoonlijk is hij 's middags de enige die wakker is. Ze lachte en hij keek haar verbaasd aan, waardoor zijn gezicht iets leek te veranderen, en hij zei: 'Mensen begrijpen me soms niet.' Karen vond dat hartverwarmend.

Misschien waren ze voor elkaar bestemd, want ze vond hem heel grappig. Zijn verhalen gingen vaak over wat hem was overkomen en daarbij spaarde hij zichzelf niet. Het was bijna alsof hij de persoonlijkheid had van iemand die heel zelfverzekerd was en zo'n krachtige indruk maakte dat hij het gevoel had dat hij zichzelf almaar onderuit moest halen. Maar intussen vertelde zijn gezicht het tegendeel. Ze begonnen samen uit te gaan en drie of vier weken later gingen ze met elkaar naar bed, in zijn appartement, voor het geval ze na afloop meteen naar huis wilde. Maar dat bleek niet het geval. Zijn kamers waren smaakvol ingericht, maar niet overdreven, en hij had haar zo stevig bij haar middel gepakt dat haar heupen plezierig pijn deden, dus maakte ze het zich gemakkelijk in zijn donzen kussens, die iets geruststellends en vertrouwds hadden, met de lavendelgeur van droogtrommeldoekjes. En diezelfde avond deden ze het nog eens en ze had het gevoel dat hij haar begeerde. En dat had iets heel aantrekkelijks.

De Vader van Mark werkte als footballcoach op een middelbare school en omdat hij ook in de directie zat en maatschappijleer gaf, beperkte zijn goede naam in de upper middle class van Newton, Massuchusetts, zich niet tot de sport. Te midden van al die hoogopgeleide ouders en hun netjes opgevoede maar rebellerende kinderen ontdekte Mark langzaam wie hij in feite was: het type van de chauffeurszoon. Hij had alles wat alle anderen ook hadden, maar van een mindere kwaliteit: een ouderwetse fiets met drie versnellingen, geen honkbalkaartjes om te ruilen, saaie vakanties die niet al te vaak voorkwamen en tennisschoenen uit de bak van de supermarkt.

Zijn Vader vond dat hij niet genoeg van zich afbeet en gaf het ten slotte op, hem op zijn huid te zitten, nadat hij had gemerkt dat hij nog het best tot zijn recht kwam ter ondersteuning van de echte vechtersbazen, als een meisje. Uiteindelijk bleek Mark wel enig talent te hebben voor veldlopen, dat zelfdiscipline vereiste maar een solitaire bezigheid was waarbij hij zich niets gelegen hoefde te laten liggen aan het teamwork waar zijn Vader zoveel waarde aan hechtte. Tegen de tijd dat hij in de bovenbouw zat besefte Mark dat hij de competitie liever in stilte aanging en niet goed met mannen kon opschieten omdat hij een hekel had aan de anonieme plek die ze hem in groepsverband toekenden.

Vrouwen waren voor Mark een raadsel geweest. Zijn Moeder was de eeuwige cheerleader en zijn oudere, slimmere Zus had het gezin als jonge tiener in het ongeluk gestort door haar eetstoornis, waarbij ze de strijd om haar volwassenheid zo lang mogelijk uit te stellen ten slotte had gewonnen doordat ze na haar terugkeer uit een kliniek een hartaanval kreeg en op zeventienjarige leeftijd overleed. Afgezien daarvan ontdekte hij dat hij niets van het charisma van zijn Vader had en ook zijn fysieke verschijning, vooral zijn gezicht, hielp hem niet om zich op zijn gemak te voelen met vrouwen.

Hij trok de aandacht omdat hij een dode zus had, maar voor hem was dat niets bijzonders, en vanwege haar langdurige ziekte was hij zozeer op zichzelf aangewezen dat geen meisje zich een voorstelling kon maken van zijn eenzaamheid. Het overlijden van zijn Zus had als belangrijkste gevolg dat hij van zijn ouders vervreemd was geraakt, want ze spraken zelden met hem en trokken zich terug in hun dagelijkse beslommeringen: het schoonmaken, verven en renoveren van hun huis, dat door het fiasco van hun jarenlange reddingsoperatie was verwaarloosd. Tegen de tijd dat hij aan zijn eindexamenjaar begon, hadden ze zich op de tuin geworpen, wat hun de gelegenheid bood hun knieën in het slijk te planten, niet anders dan de natte groente die ze oogstten en lieten wegrotten in manden in de bijkeuken. Mark vroeg zich af of er ook maar iets was wat hun stille, noeste verdriet kon verzachten en hij besloot speciaal voor hen een doorzetter te zijn en het ver te schoppen, al wist hij ook dat een groot financieel succes en een hoge kantoorfunctie hem de kans zouden bieden een nieuwe wereld te betreden waarin niets van dat alles ooit had plaatsgevonden.

Wat Mark zo leuk vond aan Karen was dat ze geen idee had hoe mooi ze was. Ze had ravenzwart haar en blauwe ogen en haar lichaam was slank, maar ook zacht en weelderig. Toen hij zijn collega die hen met elkaar in contact had gebracht vroeg hoe het kon dat hij daar niets over had gezegd, bekende die dat hij haar nog nooit had gezien. Zijn vrouw kende haar en had gezegd dat ze een 8 was, of eigenlijk een 7, maar dat kon hij niet tegen Mark zeggen, zeker niet nu Mark haar zonder omwegen een 10 had genoemd. Zijn collega was blij, maar ook nieuwsgierig en toen hij Karen ten slotte op de kerstborrel ontmoette zag hij tot zijn verbazing dat ze inderdaad heel mooi was, hoewel geen 10, en een imposante voorgevel had.

Op de avond dat Mark en Karen eindelijk voor elkaar uit de kleren gingen, had hij toegekeken hoe ze opstond om een ochtendjas te pakken en naar de badkamer te lopen. Het was een heldere, maanverlichte nacht en in die blauwe lucht waren haar tepels bijna paars, haar huid was melkachtig wit, haar dijen waren mollig en haar enkels heel smal. Hij meende dat hij er nooit genoeg van zou krijgen om met haar te vrijen, nam die gedachte heel serieus en wist dat ze met elkaar zouden trouwen.

*

Je zou denken dat een man als Mark voor zijn veertigste binnen moest zijn, of anders nooit rijk zou worden, maar hij werkte op een deelterrein binnen de financiële dienstverlening waar het nog steeds mogelijk was een grote slag te slaan. In de tijd dat Mark en Karen verloofd waren, bood zich de mogelijkheid aan van een promotie en daar zat een bonus aan vast die hem in één klap rijk zou maken. Nu ze een stel waren, de maatschappelijke vruchten plukten van etentjes met andere stellen en het genoegen smaakten van een gegarandeerde partner op oudejaarsavond en Valentijnsdag, genoten ze de onuitgesproken status van een koppel dat het wel eens kon gaan maken.

Marks promotie bleef gedurende de hele periode van de huwelijksplanning in de lucht hangen en ze bedachten beiden dat ze misschien een veel groter feest konden geven, maar maakten zich ook zorgen dat het niet door zou gaan en in dat geval zouden ze zich in de schulden steken en moest Mark misschien zelfs een andere baan gaan zoeken.

Karen was bereid haar jarenlange ervaring in de uitgeefbranche op te geven, want er werd veel geroddeld, het werk kwam altijd op hetzelfde neer en ze had vrijwel nooit contact met schrijvers. Bovendien, ze werkte ook eigenlijk niet in de uitgeefbranche. Ze was daar wel voor naar New York gekomen, maar de concurrentie was moordend en dus was ze als uitzendkracht begonnen en uiteindelijk in de public relations terechtgekomen, een bedrijfstak die daaraan verwant was, waar ze niet alleen deel had aan de bescheiden glamour van onafhankelijke filmproducties en restaurants die werden geopend, maar ook verleidelijk dicht in de buurt was gekomen van een uitgeverij. Ten slotte was ze mensen gaan vertellen dat ze in de uitgeefbranche werkte, want niemand begreep iets van public relations, zeker niet op freelancebasis, en er was ooit iemand geweest die haar verkeerd had verstaan en toen aanmerkelijk enthousiaster had gereageerd dan gebruikelijk. Ze werkte ver achter de schermen, moest reizen en optredens boeken voor schrijvers en redacteurs, en nadat ze zich een keer voor de afwezigheid van haar baas had verontschuldigd met een zorgvuldig samengesteld pakket van ambachtelijke chocolade en grijs geaderde schimmelkaas begon ze met het bedenken van thematische cadeaumanden, zo bijzonder en verfijnd dat veel mensen haar adviseerden om voor zichzelf te beginnen.

De lof die ze oogstte met die onverwachte bijverdienste benadrukte alleen maar hoe weinig enthousiast en gedreven ze was in de carrière die haar in de schoot was geworpen. Anders dan haar baas was ze niet in staat haar provinciale maniertjes van zich af te schudden, of een zonnebril op haar voorhoofd te zetten en dan tegenover onbekenden onverwacht charmant uit de hoek te komen, dus toen tot haar doordrong dat Mark er misschien wel op stond dat ze fulltime echtgenote en moeder zou worden, kwam dat als een aangename verrassing. Karen besefte dat er in traditionele zin geen huisvrouwen in Manhattan woonden en dat ze veel voldoening zou ontlenen aan vrijwilligerswerk op school, het bouwen van een nestje en het leidinggeven aan bedienden.

Toen Mark twee weken voor de bruiloft de promotie aan zijn neus voorbij zag gaan, was Karen daar zo kapot van dat ze zich afvroeg of ze er niet onderuit kon. Ze zat midden in de nacht in de keuken, noteerde de voors en tegens op een vel papier en kreeg de afschuwelijke gedachte dat ze hem misschien alleen maar voor het geld trouwde. Maar ze wist dat ze beter was dan dat. Ze wist dat wat ze had leren kennen als liefde in de tijd die ze met hem had doorgebracht ook werkelijk liefde was geworden. Ze wilde niet alleen een kind voordat het te laat was; ze wilde een kind van hem. Dat was heel belangrijk; het was zelfs het enige wat op haar lijstje stond en ze was blij met die hele exercitie en vroeg zich af waarom ze nooit eerder zo dapper was geweest op papier te distilleren wat haar ambitie was.

Naar de maatstaven van iedereen behalve hemzelf werd Mark alsnog rijk. Op het werk stond hij bekend om zijn benijdenswaardige vermogen problematische beleggingen te herkennen. Door een wiskundige analyse van aandelen, obligaties, onroerend goed en vooral ondernemingen was hij in staat aan te tonen wanneer ze overgewaardeerd en dus kwetsbaar waren, en hij kwam regelmatig met tips die geld of op zijn minst meer handelstransacties opleverden. Toch werd hij uiteindelijk niet rijk door zijn talent, maar doordat hij het geluk had deel uit te maken van een team dat een reusachtige commissie wist op te strijken met het binnenhalen van een universitair legaat. En al had die gemiste promotie hem goddomme bijna zijn huwelijk gekost, hij bleek op het juiste moment op de juiste plek te zitten en ze hadden een topjaar. En nóg een. En toen nóg een, waarna hij goed in de slappe was zat en zich nergens meer zorgen om hoefde te maken. Hij behoorde niet tot de rijkste mannen uit New York, maar kon zich vrijwel dezelfde dingen veroorloven als zij, al werd er in de bladen dan niet over hem geschreven.

Hij wilde natuurlijk meer, of in elk geval genoeg voor een buitenhuis en een van die onderscheidingen die mensen krijgen als ze veel geld aan goede doelen besteden, maar prees zich gelukkig dat Karen geen maatschappelijke positie ambieerde en hun rijkdom als een gegeven beschouwde, alsof ze van huis uit niet anders gewend was en zich niet zo nodig hoefde te bewijzen. Hij vond dat bewonderenswaardig en was er zelfs jaloers op en ten slotte vroeg hij haar waar haar natuurlijke neiging om zich af te zonderen en dus ook haar tevredenheid met zichzelf vandaan kwamen. Toen ze op een avond helemaal loom waren na een peperdure fles wijn, vertelde Karen aan Mark dat andere vrouwen haar nooit als voorbeeld hadden genomen, want in groepsverband verdween ze vaak naar de achtergrond en ze voelde zich nog het meest op haar gemak als welwillende getuige. Wat niet wegnam dat ze er tegenover Mark haar verbazing over uitsprak, op gedempte toon en met vochtige ogen, dat dat niet genoeg was. Ze weigerde te roddelen, nadat ze ooit het mikpunt was geweest van een buitengewoon akelig gerucht dat ze onuitgenodigd naar een zomerhuis aan zee was gegaan om daar te logeren. Dat gerucht leidde weer tot de insinuatie dat haar neus of haar borsten niet echt waren, met als gevolg dat ze definitief bekend kwam te staan als een wanhopig type. Het was haar een raadsel waarom ze het nu juist op haar hadden gemunt, maar de groep had waarschijnlijk besloten dat ze de ideale persoon was om hun onzekerheden op te projecteren, aangezien haar natuurlijke schroom en stilzwijgen werden opgevat als een vorm van arrogantie. Terwijl ze haar hoofd op zijn borst legde en hem met haar naaktheid omvatte, vertrouwde ze Mark toe dat ze net als hij de wreedheid van de meute had ervaren, maar ze was tot het inzicht gekomen dat je jezelf nooit kon zien zoals anderen naar je keken, en het maakte niet uit dat je misschien een geïsoleerde indruk maakte, zolang je maar onthield dat je niet de persoon was voor wie je werd aangezien.

Op zijn eenenveertigste verjaardag wekte Karen Mark met haar hoofd onder de dekens en haar mond op zijn lid. Toen ze haar tanden had gepoetst en was teruggekomen, vleide ze zich tegen hem aan en vertelde dat ze zwanger was. Ondanks zijn verzadigde staat toonde Mark zich direct enthousiast, en toen Karen op omzichtige toon begon over het grotere appartement dat ze nodig hadden, werden zijn gevoelens nog inniger. Ze had een week met het nieuws rondgelopen en was waanzinnig opgelucht dat hij met gepaste geestdrift had gereageerd.

Mark vond het allemaal prachtig: hij gaf de mooie Karen het leven dat ze zich wenste, hij stichtte een gezin, een nageslacht, en waar hij nog het meeste plezier in had was de manier waarop ze in een paar minuten tijd was omgeschakeld van sensueel naar pragmatisch. Het gevolg was dat hij haar nog eens wilde, al vroeg hij zich af of dat geen kwaad kon in haar conditie. Karen moest erom lachen. Ze vond hem nog altijd grappig en tijdens het vrijen viel hem op dat haar lichaam iets was veranderd, op een manier die hem wel aanstond. Toen ze klaarkwam, voelde hij hoe alle zorgen aan haar ontsnapten en ze opging in de gloed van haar verwachtingen.

Karens zwangerschap verliep zonder bijzonderheden, behalve dat ze naar een complex van tien appartementen verhuisden ten westen van Park Avenue, in een buurt die bekendstond als een van de laatste echte woonwijken van Manhattan. Ze hadden drie slaapkamers en geen balkon, maar het was de verdieping vlak onder het penthouse en ze keken uit op de daken van brownstone-huizen, met daartussen vrijwel geen enkel naoorlogs pand, en er was een koffieketen of een opticien op elke straathoek, plus een ouderwets supermarktje en een paar hoge gebouwen met liftdeuren die nog van glanzend koper waren.

De corporatie was stug en wrevelig geweest en de andere bewoners hadden de boot afgehouden totdat

Mark zich terugtrok en Karen hen met haar blos en haar bolle buik over de streep had getrokken. Hun dochter werd op een alleszins beschaafd tijdstip geboren in het Lenox Hill Hospital, Mark was erbij geweest en toen Karen thuiskwam, stond haar een compleet ingerichte kinderkamer te wachten, plus een paar nieuwe vriendinnen, die Karen had leren kennen na haar entree in de wereld van zwangerschapscursussen en buggy's. Ze noemden haar Heather. Mark vond het mooi dat zijn Schotse achtergrond erin doorklonk, maar dat was eigenlijk toeval want Karen had die naam opgepikt uit een boek, in de overtuiging dat ze nog nooit een Heather had ontmoet die niet mooi was.

Anders dan haar vriendinnen stuurde Karen de kraamhulp al snel naar huis, want ze ontdekte dat de borstvoeding, de slapeloze nachten en het bijhouden van alle mijlpalen haar volstrekt niet zwaar vielen. Ze verwelkomde zelfs de meest onverwachte interruptie en zag elk contact, zelfs om drie uur in de ochtend, als een kans om haar baby aan te raken en te besnuffelen. Het plezier dat ze had in Heather ging alles te boven en ze sloeg elke hulp van de hand, ook toen het kind groter werd, en legde alle dagen vast in foto's en notities, zonder trouwens ooit de behoefte te voelen die met iemand te delen, want ze waren altijd samen en Heather kon uit de eerste hand worden ervaren. Toen Heather ten slotte vier werd en voor het eerst naar school ging, de zorgzaamste en meest vooruitstrevende school die ze konden vinden, hoewel niet per se de meest prestigieuze, was het Karen die de hele dag moest huilen. En terwijl de dagen verstreken, lag ze de enkele uren dat Heather op school zat in bed, door verdriet overmand, om rond de tijd dat ze haar kon ophalen weer helemaal op te fleuren, want dan kon ze haar dochter weer bij de hand nemen en koekjes bakken, filmpjes kijken of eenvoudig een wandeling met haar maken door het park.

*

Zo'n tien jaar voor het eerste afspraakje van Mark en Karen werd in een openbaar ziekenhuis in Newark, New Jersey, Robert Klasky geboren, als kind van een alleenstaande moeder. Bobby, zoals hij werd genoemd, was een wonder dat onopgemerkt bleef, want de medische staf realiseerde zich niet dat zijn Moeder lange tijd niets van haar zwangerschap had geweten en nauwelijks iets anders had ingenomen dan bier. Hij kreeg de achternaam van zijn Moeder, want een willekeurig aantal mannen met vaalbruin haar en blauwe ogen kon zijn vader zijn geweest.

Bobby's Moeder bleef zo lang als was toegestaan in het ziekenhuis en keerde daarna terug naar haar houten huisje in Harrison, de plaats waar ze het merendeel van haar ongelukkige leven had doorgebracht.

In Harrison hadden van oudsher Poolse immigranten gewoond en nu was het verpauperd, maar nog steeds in hoofdzaak blank, wat ongebruikelijk was voor dat deel van New Jersey, en het had ook best iets schilderachtigs kunnen hebben, ware het niet dat je overal de tekenen zag van de armoede: dunne hordeuren, bergen afval, schroot dat her en der verspreid lag en een horizon die werd vervuild door een zwarte kluwen van telefoonkabels.

De komst van Bobby veranderde weinig aan de overtuiging van zijn Moeder dat heroïne het beste was wat het leven haar te bieden had. Het was nooit haar bedoeling geweest als volwassene in Harrison te blijven wonen, te midden van al dat 'uitschot', zoals ze het noemde. Maar ondanks die kwalificatie liet ze zich in met een reeks van armoedzaaiers, gewelddadige junkies en zuiplappen die een maaltijd wilden, een dak boven hun hoofd en een vrouw om lol mee te beleven. Nog voor hij tien werd, had Bobby al sigarettenpeuken gegeten en bier gedronken en zelfs haar vriendjes en een paar van hun vrienden geholpen met spuiten als ze daar te ziek voor waren.

Hij werd regelmatig midden in de nacht wakker gemaakt en naar de woonkamer gesleept, zonder van tevoren te weten of hij daar als boksbal of als paradepaardje zou fungeren. Zijn Moeder leefde van de bijstand en van diefstal, vooral in de goede jaren, toen het stadion verrees en overal gebouwd werd, maar meestal werkte ze in een van de plaatselijke schoonheidssalons en veegde daar de haren van de vloer, of soms als ongediplomeerd schoonheidsspecialiste, wat ideaal was want dan kon ze haar favoriete soapseries blijven volgen, geregeld een greep doen uit de kassa en zich met gezag uitspreken over het uiterlijk van anderen.

Het was een opluchting voor zowel Bobby als zijn Moeder toen hij naar school ging. Hij had er plezier in, want het gaf structuur aan zijn dagen en hij kreeg eens wat anders te eten dan een Taylor Ham-sandwich, maar hij merkte al snel dat hij slimmer was dan al zijn medeleerlingen en de meeste van zijn onderwijzers. Hij ontdekte dat hij alles voor elkaar kon krijgen wat hij wilde, door eenvoudig de waarheid te spreken over zijn Moeder of zijn armoede, vooral bij de jonge onderwijzers, die er tranen van in de ogen kregen, hem op fastfood trakteerden en beloofden dat er iets in zijn situatie zou veranderen. Maar natuurlijk gebeurde dat niet. Het ergste wat kon gebeuren was dat zijn Moeder bezoek kreeg, maar dat kon haar niet deren, want ze kende geen schaamte en ontving de ambtenaren en de weldoeners geregeld in haar bovenmaatse T-shirt dat als nachthemd diende of in een morsige kimono.

Bobby bracht het grootste deel van zijn tijd alleen door. Dat viel hem het zwaarst in de zomer, als het huis vol junkies was en het geluid van de tv uit moest. Dan liep hij naar de rivier, bezaaid met afgedankte apparaten en autobanden, en voelde hij zich eenzaam en ellendig omdat 'ook hij het gevoel had dat hij was afgedankt', zoals een psycholoog in de gevangenis hem op een dag zou voorhouden.

Er was eigenlijk niets waarvoor hij belangstelling kon opbrengen, behalve dieren. Voor hem waren ze net mensen, suf en machteloos, vooral als ze waren doodgereden, dan nam hij ze mee en verstopte ze in de garage om ze later te kunnen bestuderen. Het was zuiver toeval dat Bobby ontdekte hoe groot zijn macht was, toen hij een vogel klem zag zitten in de airconditioning bij het raam en die aanzette om vol ontzag toe te kijken hoe het beest door de ventilator werd vermorzeld tot het bloed uit de opening naar buiten sproeide.

Bobby maakte zijn middelbare school niet af en kreeg een baan bij een groothandel in hout, waar hij trucks moest bevrachten en later, toen hij de vorkheftruck onder de knie had gekregen, ook pallets. Hij vergrendelde zijn kamer met een hangslot, bleef thuis wonen en in zijn vrije tijd keek hij tv en dronk wodka en 's avonds absorbeerde hij de holle praatjes en het bulderende gelach van de vrienden en minnaars van zijn Moeder, die zich daar spontaan verzamelden.

Soms brak er een knokpartij uit en dan ging hij gewoon naar buiten en zat op de stoep of liep naar de winkel op de hoek om meer bier te halen. Een buurmeisje dat bekendstond als Chi-Chi zat ook vaak op de stoep en hij vond haar heel mooi en kon wel zien dat ze een manier zocht om een praatje aan te knopen. Op een zwaarbewolkte zaterdagmiddag stak hij eerder de straat over zodat hij haar van dichtbij kon passeren en zei: 'Lekker weertje, niet?' Ze glimlachte terug en het stelde hem tevreden dat hij een van die dingen had gezegd die mensen zeiden.

Twee

VOOR MARK VERANDERDE er weinig toen Heather in zijn leven kwam. In het begin had hij niet veel te doen. Karen nam alles op zich en dat leek logisch, want hij kon de baby niet de borst geven, verschoonde liever geen luiers en als er gebadderd en gewandeld moest worden zat hij op zijn werk. Maar na verloop van tijd merkte hij dat Karen en Heather een gesloten front vormden waar hij buiten viel. Zijn pogingen om met hen mee te doen werden gedwarsboomd door zijn onkunde en natuurlijk was het voor Karen altijd eenvoudiger om iets zelf te doen dan hem te zien hannesen met het aankleden van de peuter of het inpakken van de tas voor een bezoekje aan het park.

Hij was niet boos op Karen, maar wel op zichzelf, en zag zijn verbanning naar de positie van toeschouwer in het verlengde van de tekortkomingen die nu ook op zijn werk aan het licht kwamen. Het was Mark nooit gelukt zichzelf binnen de financiële sector onmisbaar te maken. Hoewel hij goed werk leverde en meer verdiende dat hij ooit had durven dromen, werd hij voorbijgestreefd door een stoet van mannen die het niet waard waren, met vaardigheden die eerder op het sociale dan op het financiële vlak lagen, en hij kon het wel vergeten om ooit afdelingshoofd te worden of zelfs de zakenjet te kunnen nemen.

Heather was een beeldschone baby. Haar blonde haar zou later donkerder worden, maar ze had grote blauwe ogen en met vier weken glimlachte ze al en klapte vaak verrukt met haar kleine dikke handjes. Karen kleedde haar in gebreide vestjes en merkte dat, al was ze dan een meisje, lichtblauw heel goed paste bij haar teint en temperament. Heather zocht oogcontact met anderen en wist zelfs de meest gedeprimeerde New Yorkers met haar lachjes en kreetjes voor zich in te nemen.

In een park of een winkel stond ze onontkoombaar in het middelpunt van de belangstelling en ze was zo mooi dat haar pas verworven vrienden een blik op Karen sloegen, of op Mark en Karen samen, en hun verbazing dat dit kind bij deze twee mensen hoorde niet konden verbergen. Heathers ouders voelden zich nooit gekrenkt maar haalden met bescheiden trots hun schouders op; en hoewel ze het er nooit over hadden, waren ze elk voor zich tot de conclusie gekomen dat hun innerlijke zelf tot uitdrukking was gekomen in deze prachtige biologische creatie. Mark opperde tegen Karen zelfs dat ze misschien nog een kindje moesten maken, 'omdat ze er zo goed in waren'.

Hoewel Karen gek was op haar ouders en vond dat ze een idyllische jeugd had gehad in een lommerrijke buitenwijk van Washington D.C., herinnerde ze zich dat ze het merendeel van die jaren eenzaam was geweest. Ze wilde altijd een broertje of zusje en omdat haar Moeder geobsedeerd was door geboortebeperking en haar al voorlichting had gegeven nog voor ze begreep waar het over ging, vroeg ze zich af of ze misschien een ongelukje was geweest. Gedurende enige tijd had ze een ingebeelde, tien jaar oudere broer die haar in zijn auto meenam naar bijvoorbeeld de ijssalon of balletles, maar ze hoefde alleen maar bij iemand te logeren of met een ander gezin van school naar huis te worden gebracht om te beseffen dat ze bij haar thuis gelukkig niet overal strijd om hoefde te leveren.

Aan de andere kant, nergens strijd om hoeven leveren was misschien een handicap geweest. Karen liet zich van nature gemakkelijk door andere mensen manipuleren en ging risico's uit de weg. Ze was nooit de eerste om een duik te nemen in het zwembad en keek liever toe hoe een paar anderen haar voorgingen. Daar kwam bij dat haar Moeder, toen ze nog een kleuter was, weer naar de universiteit ging om bibliotheekwetenschappen te gaan studeren en haar Vader, werkzaam als octrooimanager, niet goed opgewassen was geweest tegen zijn ouderlijke taken en alle achterstallige huishoudelijke werkzaamheden. Hij was dol op zijn werk en eigende zich vaak de ideeën van zijn cliënten toe. Hij knutselde en dacht na over allerlei uitvindingen, maar waar hij nog het meeste plezier aan beleefde, was hoe de buren keken als hij het huis in- en uitliep met opgerolde blauwdrukken onder zijn arm, de tekeningen van elektrische en scheikundige schema's die zijn verstand te boven gingen.

Tegen de tijd dat haar Moeder een baan kreeg als bibliothecaresse van de Clarksburg Bookmobile was Karen te oud voor het kinderdagverblijf en zat ze zo vaak achter in een hoekje van de bibliobus toe te kijken hoe haar Moeder kinderen voorlas dat ze tot in de tweede klas een denkbeeldig publiek voor zich zag, elke keer als ze een boek in handen hield. Toen de bibliobus door bezuinigingen dreigde te worden weggesaneerd, zetten de inwoners van de stad een referendum op touw en ineens waren het niet alleen de kinderen die naar haar Moeder zwaaiden en haar bij de voornaam noemden.

Karen vond het vreselijk haar te moeten delen en zoveel tijd met de babysitter door te brengen, die eigenlijk hun schoonmaakster was, en na verloop van tijd pakte ze allerlei activiteiten op om maar langer op school te kunnen blijven. Tegen de tijd dat ze naar de middelbare school ging was ze al zo lang aan haar lot overgelaten dat ze compleet autonoom was en er een gewoonte van maakte zich na schooltijd in haar kamer op te sluiten, waar ze een draagbare tv had en haar toevlucht kon nemen tot de verzadigde wereld van de romantiek, met haar lichaam onder handbereik.

Karen vertelde Mark dat ze geen tweede kind wilde. Dat zou niet eerlijk zijn tegenover Heather. Karen wist op het moment van Heathers geboorte al dat ze haar kind zo lang mogelijk haar ononderbroken aandacht en zorg wilde schenken. Nooit vroeg ze zich af of het een manier was om haar gebrek aan maatschappelijke ambities of haar afhankelijkheid van het succes van Mark te rechtvaardigen, want Heather was niet zomaar een kind. Als Karen zo stralend en betoverend was geweest als Heather, zou haar Moeder misschien wel nooit naar de universiteit zijn teruggegaan.

Toen Heather opgroeide tot een klein meisje werd haar schoonheid nog opvallender, hoewel die op een of andere manier ondergeschikt was aan haar charme en intelligentie en vooral aan haar ondoorgrondelijke, soms diepgaande inlevingsvermogen. 'Waarom huilt u?' vroeg ze op vijfjarige leeftijd toen ze in haar buggy in de metro zat aan een Vrouw die niet huilde en haar vriendelijk corrigeerde. Waarop Heather zei: 'U hoeft niet verdrietig te zijn, ook al zijn uw tassen zwaar. Ik kan er eentje voor u dragen.' De Vrouw begon nerveus te lachen, kwam naast Karen zitten en zei dat ze het heel goed alleen afkon, maar toch bedankt. Karen gaf haar kind een mild standje, zei dat ze haar neus niet in andermans zaken mocht steken en gaf haar een tuitbeker.

De Vrouw tilde haar hoofd op, zogenaamd om de reclameborden te lezen, maar Heather bleef naar haar kijken, nam de beker uit haar mond en zei: 'Mensen in de metro doen altijd alsof ze alleen zijn, maar dat is niet zo,' waarop de Vrouw in tranen uitbarstte. Karen wist niet wat ze ermee aan moest en haar zoektocht naar een zakdoekje eindigde ermee dat ze de snikkende vrouw, die moeizaam glimlachte en in verlegenheid was gebracht, eenvoudig over haar schouders streek. Heather keek naar hen tweeën en op 77th Street, waar ze moesten uitstappen, zei ze dááág en de Vrouw, die zich inmiddels had hersteld, keek naar Karen en zei dat ze de beste moeder ter wereld moest zijn. Karen schoof dat compliment door naar haar kind en hoewel dat een vorm van bescheidenheid leek, wist ze dat Heather voortdurend zulke dingen deed en kennelijk op aarde was om mensen een beter gevoel te bezorgen.

Karen had dagelijks genoeg te doen, zelfs toen Heather voor hele dagen naar school begon te gaan. Ze deed aan fitness, ging shoppen, wijdde zich aan de paar huishoudelijke taken die ze zelf op zich had genomen, probeerde een reeks van activiteiten uit die haar leven moesten verrijken, bedacht voedzame maaltijden en verantwoord amusement, en natuurlijk kon ze het niet nalaten dagelijks notities te maken over de wonderbaarlijke Heather. Karen maakte knipselboeken en digitale fotocollages en, met enige moeite, filmpjes die ze kon delen op internet. Aanvankelijk was ze bang een opschepperige indruk te maken, maar toen ze merkte dat iedereen precies hetzelfde op haar dochter reageerde als zij, besefte ze dat anderen daar echt blij van werden en misschien wel net als zijzelf heel veel over zichzelf te weten kwamen door Heather te zien opgroeien.

Op de online forums die ze bezocht vond ze talloze gelijkgestemde vrouwen en werd haar een hart onder de riem gestoken, zozeer dat elke zorg die ze had al snel door een ervaren moeder of een echte deskundige werd weggenomen. Het gevolg was dat Karen over het geheel genomen minder tijd met anderen doorbracht, maar ze stond altijd open voor contact, en van het begin af aan, of ze nu in het park wandelden, zwommen bij de club of later, als ze gingen tennissen, was het Heather die Karen zo ver bracht om ergens te gaan zitten en met wie dan ook een versnapering te nemen.

Het gezin Breakstone was weliswaar klein, maar leefde op behoorlijk grote voet en Mark was er trots op dat hij hun zo'n mooi appartement kon bieden. Wat hem vooral beviel, was Karens voorliefde voor satijnzacht fluweel, dat ze spaarzaam gebruikte, maar op een manier die direct voor hem bedoeld leek. Ze hadden een fluwelen hoofdeinde aan hun bed en in de woonkamer een zitcombinatie met een fluwelen leunstoel, die zijn voorkeur had als hij 's nachts niet kon slapen, wat steeds vaker gebeurde; hij zat liever daar dan in de koude leren meubels van zijn eigen gelambriseerde werkkamer. Die stoel in de woonkamer was rood, maar in het donker leek hij wel bruin en als hij dan een paar vingers scotch in zijn mooiste glas schonk, lukte het hem een beetje weg te dommelen, of maakte hij zich in elk geval geen zorgen om het feit dat hij de zon zou zien opkomen of dat die lange nacht zou worden gevolgd door een niet te verdragen werkdag.

Op een avond toen het al laat was en Mark op het punt stond zijn stoel op te zoeken, kwam hij op het idee een kijkje te gaan nemen bij de slapende Heather, die nu zeven was. Hij was nooit met zijn dochter alleen en voelde de wrevel van zijn vrouw als hij 's avonds aan tafel kwam zitten en vroeg: 'Hoe gaat het vandaag met mijn meisjes?' Tot die formulering was hij gekomen omdat hij Heather nooit een directe vraag kon stellen zonder dat Karen tussenbeide kwam of antwoord voor haar gaf. Zelfs als Heather ziek was, werd zijn 'Hoe voel je je, liefje?' door Karen beantwoord. 'Het gaat beter met haar, goddank', of 'Ze had een waardeloze dag'. Dus toen hij die avond in haar kamer stond en naar haar keek en zij haar ogen opende en naar hem glimlachte, voelde hij zich schuldig en niet op zijn gemak. Hij kon niet uitleggen wat hij daar deed en ging dus maar gewoon op het bed zitten en streelde haar haar. Hij streek met zijn hand over haar voorhoofd, gaf haar een kus op de wang en vroeg: 'Waar wil je in de vakantie naartoe? Jij mag kiezen.' En Heather zei: 'Als jij maar meegaat, Papa.'

Dat jaar besloten Karen en Mark, op verzoek van Heather, naar Orlando te gaan in plaats van naar Saint-Barthélemy, op voorwaarde dat ze het luxehotel kozen dat niet helemaal in het teken stond van het pretpark. Ze hadden een suite gehuurd met een woonkamer voor het bed op wieltjes van hun dochter en hoewel Heather voortdurend met irritante vriendjes en vriendinnetjes kwam aanzetten, had het gezin plezier in die combinatie van een mensenmassa, gevolgd door etentjes in een besloten atmosfeer. Op een avond wilde Heather per se naar de speelkamer en Mark en Karen bleven samen achter. In hun ongerustheid werden ze dronken en begonnen ze te vrijen, maar nog voor tienen waren ze alweer op en maakten zich opnieuw zorgen, totdat Heather zoals beloofd terugkeerde. Het was lang geleden dat ze hadden gevreeën, want Karen werd volledig opgeslorpt door de dans-, tennis- en pianolessen van Heather en Mark had steeds vaker last van slapeloosheid, die hem vrijwel elke avond uit hun bed verdreef.

De volgende ochtend regende het, dus terwijl Karen een massage kreeg, namen vader en dochter deel aan een handvaardigheidsklasje, waar Mark en de andere gasten zich koesterden in het zonnetje van de goedlachse Heather, die er plezier in had de kleinere kinderen te helpen. Voor ze daar weggingen maakten ze nog snel een kralenketting voor Karen, om te voorkomen dat ze zich buitengesloten voelde. Mark en Karen werden die avond weer dronken en deden het nog eens, met Heather die lag te slapen in de kamer ernaast, en al was het dit keer een iets minder groot succes, na afloop volgde een fluisterconversatie over hoe lang ze nu al samen waren en wat voor een mirakel Heather was. De laatste dagen zaten ze met hun drieën ver weg van het ontbijtbuffet, met uitzicht op de kunstmatige lagune, zozeer stralend van geluk dat een vrouw die langskwam erop stond een foto voor hen te maken.

*

Terwijl de familie Breakstone op vakantie was, werd Bobby ontslag aangezegd door de houthandel. Hij kreeg te horen dat hij zijn baan zou terugkrijgen; ze hadden alle medewerkers voor een paar weken aan de kant gezet om ze vervolgens weer in dienst te nemen, met als doel een of andere arbeidswet te omzeilen, en dat zag hij als een mooie gelegenheid om iets van het geld dat hij had verdiend uit te geven of misschien een uitje te maken. Maar zijn Moeder had het uitgemaakt met haar laatste vriendje en Bobby stemde ermee in haar geld te lenen om haar verslaving mee te bekostigen, in het volle bewustzijn dat hij het nooit meer zou terugzien. Dat gaf niets, want waar moest hij nu eigenlijk heen en nu het voorjaar was en nog niet zo benauwd, kon hij evengoed een beetje ronddwalen door Harrison en Newark. Hij kreeg ook steeds meer belangstelling voor Chi-Chi aan de overkant van de straat. Haar broer werkte als monteur en vertelde dat ze eigenlijk Chiquita heette en ouder was dan hij had gedacht. Ze kwamen uit Mexico en er waren nog wat zaken die Bobby niet boeiden want het enige waar het hem om ging was dat ze hem had opgemerkt en dat ze meestal alleen was als hij langsliep.

Op een dag ging hij bier halen en zijn hart sloeg op hol toen Chi-Chi in een lichtblauw jurkje de veranda op stapte. Dat was zijn lievelingskleur en het jurkje paste mooi bij haar bruine huid en het had een kanten kraagje als bij een nachtjapon. Toen hij de straat overstak, vertraagde hij zijn pas en knikte naar haar. Ze glimlachte terug en hij bleef staan. Dat had hij nog nooit gedaan, maar ze had ook nog nooit echt geglimlacht en op een of andere manier moest ze hebben geweten dat het zijn lievelingskleur was. Hij stapte de veranda op en bood haar een biertje aan, maar ze draaide zich eenvoudig om, opende de hordeur voor hem en ging naar binnen. Hij liep snel achter haar aan, maar ze stopte bij de trap en vroeg hem om weg te gaan. Bobby wist niet wat voor spelletje ze speelde en dus zette hij zijn biertje neer en vertelde haar dat ze mooi was en dat hij het leuk vond haar elke dag te zien. Ze glimlachte weer, maar hij zag een zenuwtrekje om haar lippen, ze was duidelijk bang en dat maakte hem pisnijdig, vooral omdat ze aan hem probeerde te ontsnappen, richting voordeur. Hij hield haar tegen en zei dat ze moest stoppen met waar ze mee bezig was. Ze kon nog zo bang zijn, maar hem maakte het niets uit, want hij wist wat ze wilde. Hij greep naar haar haren en schouders, maar ze ontglipte hem en pakte een asbak van de zitting van een stoel en gaf hem daarmee een klap tegen zijn slaap. Hij keek haar aan en het werd hem wit voor ogen. Hij schreeuwde naar haar, greep haar bij de arm en gaf er een draai aan: 'Weet je wel wie ik ben?' Ze begon te huilen en te worstelen, maar hij hield haar in zijn greep en ten slotte gaf hij haar gewoon een stomp in de maag en voelde haar daaronder bezwijken. Ze vloog achteruit tegen de muur en hij gaf haar een tweede stomp, dit keer tegen de zijkant van haar hoofd. Toen ze bewusteloos op de grond zakte, probeerde hij op adem te komen en keek om zich heen, zozeer in paniek dat hij pas later bedacht hoe hij zichzelf almaar door zijn broek heen had gewreven om tot bedaren te komen. Hij pakte het bier en holde naar huis, sloot zichzelf op in zijn kamer en dronk een halve fles wodka tot hij in slaap kon vallen.

Hij vertelde zijn Moeder dat ze als er mensen naar hem kwamen vragen maar moest zeggen dat hij niet thuis was. De broer van Chiquita zou mogelijk aan de deur komen of misschien was ze dood. Maar waarom had ze dan ook zo gedaan? Waarom deden die knappe grietjes altijd zo stom? Het bleef maar door zijn hoofd malen en er kwam pas een eind aan toen zijn Moeder tegen de politie begon te schreeuwen en de toegang tot zijn slaapkamer blokkeerde. Zijn Moeder maakte zich zorgen om het spul dat ze had verstopt en daarom verweerde ze zich dapper, maar Bobby deed gewoon zijn deur open en ging mee, gedwee en als verdoofd door wat er allemaal was gebeurd die middag. Wat hij nog het minst begreep was dat Chi-Chi een aanklacht had ingediend, terwijl ze Oxycontin verkochten vanuit haar huis en ze een broer had van meer dan honderd kilo zwaar die Bobby heel goed in zijn eentje aan kon.

Bobby was nog nooit eerder in de gevangenis geweest en hij hield zich op de vlakte en kreeg zelfs wat antibiotica toegediend voor de snijwond die hij aan die asbak had overgehouden en die nu al was ontstoken. Chiquita leefde nog en de pro-Deoadvocaat, die duidelijk van hem onder de indruk was, dat merkte hij wel, moest hardop lachen om het idee dat de staat hem zou aanklagen wegens poging tot moord. Alles verliep volgens plan en Bobby bezag de rechtszaak die zich om hem heen voltrok alsof het een tv-show was. Ten slotte gaf hij toe dat hij haar had aangevallen, kreeg in ruil daarvoor strafvermindering en wist iets uit te brengen wat gevoelig genoeg klonk om de indruk te wekken dat het hem speet, en voor Bobby weer in hechtenis werd genomen, liet de pro-Deoadvocaat hem weten dat hij geen vijf maar drie jaar moest zitten en dat het hem een kans bood zich te beteren. Het was pas na zijn komst in de gevangenis van Trenton dat Bobby te horen kreeg hoeveel geluk hij had gehad: Chiquita had een hersenschudding opgelopen en kon zich daardoor niet meer herinneren dat hij erop uit was geweest haar te verkrachten. Het had allemaal veel erger kunnen zijn.

*

Mark was in zijn leven maar met een paar vrouwen naar bed geweest en geen van hen, afgezien van Karen, had hij zelf gekozen of achternagezeten. Nadat hij op de middelbare school talloze keren was afgewezen, onder andere door een meisje dat zijn avances afkapte met de onthulling dat zijn bijnaam in de klas, 'Moonstone', geen woordspeling was op Breakstone, maar sloeg op de vorm van zijn gezicht, had Mark zich verder afzijdig gehouden, waarna hij het veldlopen had ontdekt en zich bevredigde aan de hand van jaarboekfoto's en catalogi, want voor pornografie schaamde hij zich.

Toen hij als student zijn maagdelijkheid verloor, was het een weldaad om wakker te worden naast een echt lichaam en ze deed vriendelijk over hoe hij het ervan af had gebracht en ze maakten er een gewoonte van, hoewel hij zich volstrekt niet tot haar aangetrokken voelde. Ze was niet lelijk, maar een beetje aan de zware kant en de eerste van een reeks luidruchtige, vrijpostige en losbandige vrouwen met wie hij voor zijn kennismaking met Karen had geslapen, na met een zweem van mededogen door hen te zijn verleid. In ruil daarvoor werd van hem verwacht dat hij hen stilzwijgend steunde in hun onrealistische ambities op het gebied van modeontwerpen of tijdschriftjournalistiek en dat hij hun kant koos als ze bonje hadden, vooral met al die andere vrouwen, die natuurlijk jaloers waren.

De verlangens van Mark bleven onvervuld en hij kreeg er zo langzamerhand een hekel aan vaker dan één keer met die vrouwen naar bed te gaan, en dus begon hij zijn carrière als vrijgezel, in de hoop dat zijn salaris of de veranderingen die zijn gezicht in de loop der jaren zou ondergaan een ander type vrouw trok. De enige reden waarom hij ermee instemde te worden gekoppeld was dat hij een band wilde opbouwen met de oversekste voormalige sportbinken bij hem op kantoor. Hij zou doen wat er van hem werd verwacht, namelijk vertellen over de succesjes die hij boekte bij deze almaar wanhopigere vrouwen, om zich dan terug te trekken zonder zich ooit aan een van hen bloot te hebben gegeven, al hield hij aan de seks die deze valse intimiteit hem opleverde een gevoel van vervreemding over. Hij besefte maar al te goed hoezeer Karen zijn leven al die jaren geleden had veranderd. Dat hield hij zichzelf tegenwoordig ook regelmatig voor, want er was een nieuwe Trainee, een jonge Aziatische vrouw van 26, die was begonnen om koffie voor hem te halen.

Er werkten zo weinig vrouwen op Marks kantoor dat ieder van hen een fantasieobject werd, en daar kwam nog bij dat de Trainee een MBA was en tot het nieuwe type vrouw behoorde dat grof en expliciet taalgebruik ten onrechte als een feministisch gebod zag. Die grote mond gaf haar geen enkel overwicht, maar maakte haar eerder tot een speeltje voor de managers, die haar koffie lieten halen en intussen berichtjes aan elkaar stuurden met expliciet commentaar op haar kledij. Mark deed daar natuurlijk niet aan mee, maar ook hij vond haar fascinerend en ook best opwindend, wat zelfs zo ver ging dat hij zich een voorstelling maakte van de Trainee, de enkele keer dat hij en Karen met elkaar vreeën.

Het pad naar de slaapkamer van Mark en Karen lag bezaaid met almaar meer obstakels, hoewel ze na Orlando hadden gezworen dat ze meer tijd in elkaars armen zouden doorbrengen. Ze waren begonnen met een vaste avond in de week, maar het kostte hun beiden moeite om daar tijd voor vrij te houden, Mark vanwege zijn werk en Karen vanwege Heather, die nu twaalf was en aandacht nodig had vanwege haar onderwijsprogramma en het sociale leven op hun excellente meisjesgymnasium.

Heather was nog steeds populair en een uitmuntende leerling, maar Mark was het met Karen eens dat ze voor al haar vakken studiebegeleiding moest krijgen, naast haar andere buitenschoolse activiteiten. Voor Karen was het een dodelijk vermoeiend rooster, maar het stelde haar wel in staat om in de gaten te houden wie de vriendinnen van Heather waren, wat bepaald niet overbodig was, want Heather kon heel argeloos zijn in de omgang met anderen, waar misbruik van werd gemaakt door kleverige en onevenwichtige meisjes die in hoger aanzien wilden komen of haar als klankbord zagen voor hun narcistische drama's. Dus toen die vaste avond langzaam teloorging door een reeks van wederzijdse afzeggingen, zei Karen dat het haar speet en deed Mark alsof hij zich afgewezen voelde, hoewel hij stiekem opgelucht was en zich bezwaard voelde alleen nog maar te kunnen presteren als hij aan de Trainee dacht.

Op een dag trok de Trainee de deur van Marks kantoor achter zich dicht en was al snel in tranen, ze wilde weten wat ze verkeerd deed en waarom niemand haar serieus nam. Hij voelde hoe een vlaag van warmte naar zijn hoofd steeg, het zweet brak hem uit en hij begon te stotteren, tot het moment dat ze zichzelf weer onder controle kreeg, haar tranen droogde, fluisterde dat hij de enige was op dat hele belachelijke kantoor die deugde en daarna wegliep. Mark wist dat zijn reactie correct was geweest, maar hij besefte ook wat er in feite was gebeurd en dat hij ergens in de toekomst wel eens munt zou kunnen slaan uit haar gevoelens zonder heel bang te hoeven zijn dat hij werd afgewezen.

Mark ging vroeg naar huis en zat in de keuken totdat Heather en Karen eindelijk thuiskwamen. Na de les van Heather hadden ze spontaan een potje getennist en daarna waren ze een hapje gaan eten, en hij kon niet nalaten zijn stem te verheffen en Karen te laten weten dat hij niets had gegeten en het niet langer kon verdragen dat ze nauwelijks rekening met hem hield en dat ze een gezin vormden en hij er ook bij hoorde en waarom kon hij in godsnaam niet een hapje eten of een potje tennis spelen met Heather?

Heather keek met betraande ogen vanuit de woonkamer toe, hoewel haar te verstaan was gegeven dat ze daar weg moest, en Karen, die hier nog nooit bij had stilgestaan, was vol berouw en bezwoer dat ze de dingen anders gingen aanpakken. De oplossing die ze bedacht was dat de zaterdagochtend voortaan voor vader en dochter was, en ze gaf toe dat ze onnadenkend was geweest. Die nacht droomde Mark dat de Trainee en Heather met hem zaten te lunchen in zijn snel racende auto en Heather ineens het portier had geopend en naar buiten was gesprongen.

De volgende ochtend besefte Mark dat zijn uiterlijk er met het klimmen der jaren volstrekt niet op was vooruitgegaan. Hij had al zijn haren nog, maar was zwaarder geworden en toen hij eindelijk doorhad hoe hij met behulp van Karens weegschaal zijn vetpercentage kon berekenen, concludeerde hij dat hij sinds de middelbare school meer dan tien kilo was aangekomen, wat hem vooral in zijn wangen en kaken was gaan zitten. Hij besloot weer te gaan hardlopen, met als voordeel dat hij daarmee de Trainee uit zijn hoofd kon verdrijven, en afgezien van de eerste dagen van de lente als Central Park was bezaaid met bleke meisjes in half ontklede staat, had hij volstrekt geen seksuele verlangens meer en was hij aan het eind van elke dag opgebruikt en kalm.

Het meeste plezier ontleende hij aan die ene dag in het weekend dat hij Heather voor zichzelf had. Hun tripjes naar de bioscoop, het museum of uit winkelen waren altijd gedenkwaardig, want Mark overkwamen de gekste dingen, zo ging er bijvoorbeeld bij het Plaza Hotel een paard op zijn voet staan, en Heather baarde met haar spontane glimlach en jongensachtige energie altijd het nodige opzien onder vreemden, zodat het maar zelden voorkwam dat ze ergens met zijn tweeën vertrokken zonder dat iemand haar iets cadeau had gegeven.

*

Na zijn komst in de New Jersey State Prison werd Bobby al binnen enkele dagen aan een paar verplichte psychologische tests onderworpen en – meteen nadat zijn Poolse naam werd opgemerkt – gerekruteerd door een bende blanke nationalisten. Vervolgens millimeterden ze zijn haar en kreeg hij bij wijze van inwijding een flink pak slaag in de kamer naast de douches. Hij wist eerst niet dat hij die vuistslagen, trappen en kopstoten van de verzamelde zes skinheads alleen maar moest incasseren en vocht terug, gaf ze in een waanzinnige vlaag van woede een aantal dreunen waar ze versteld van stonden. Ten slotte raakte hij buiten westen en ging een van hen op zijn borst zitten, maar de klappen waarmee ze hem hadden overladen en de knokpartij als geheel hadden hem als het ware voor het eerst zijn eigen lichaam doen ervaren, en de aanblik van zijn onwillekeurige erectie op het moment dat hij flauwviel maakte dat anderen een behoedzame afstand tot hem bewaarden en hij voor de rest van zijn verblijf de bijnaam 'Stijve' kreeg.

Bobby vond de bendeleden niet veel soeps, vooral omdat hun belangrijkste gespreksonderwerp niet hun raciale superioriteit was, maar de rechtspraak. Ze vonden geen van allen dat ze daar thuishoorden, of in elk geval niet om de redenen waarom ze in hechtenis waren genomen, en ze gebruikten uitdrukkingen als 'in hechtenis nemen' en waren nog voorspelbaarder dan de mensen van buiten. Wel begreep hij uit hun woorden dat hij in geval van moord helemaal niet had hoeven zitten, omdat Chi-Chi de enige getuige was, hij geen sperma had achtergelaten en ook geen strafblad had, want als kind was hij nooit verder gekomen dan spijbelen, lanterfanten en een enkel geval van winkeldiefstal. Hij wist nu dat hij haar had moeten doden en daarna het een en ander had moeten stelen, zodat het eruit had gezien als diefstal, en die spullen dan niet verkopen maar ergens in een vuilnisbak dumpen, hoeveel ze ook waard waren. Al hun verdere gesprekken kwamen neer op één grote klaagzang, wat Bobby maar aanstellerij vond, want het eten smaakte hem goed en hij hield van zijn werk in de wasserij, waar hij zich af en toe in het warme linnen kon wentelen.

Niet dat Bobby het echt fijn vond in de gevangenis, maar het was een geregeld bestaan en hij stak er veel van op. Vanwege een hapering in de ambtelijke molen en de onterechte aanname dat hij als bendelid een blanke arts zou eisen, duurde het maanden voordat zijn psychologische tests werden geëvalueerd en het besef daagde dat hij moest worden onderzocht door een psychiater. Dat gebeurde in een kamer met een blauw tapijt, wat Bobby heel bemoedigend vond na al dat linoleum en beton. Hij was van plan dezelfde benadering te kiezen als bij de maatschappelijk werkers, door de waarheid te spreken en zijn best te doen hen aan het huilen te brengen. Maar de Dokter was een knappe vent zoals je ze weleens op tv ziet, niet heel oud, zakelijk en Bobby kon zien dat hij bang was.

Hij vroeg Bobby naar zijn leven, hoe hij over zichzelf dacht en waar hij blij van werd, en Bobby hing een zo droevig mogelijk verhaal op, keek aan het eind van zijn zinnen naar de grond en begon over zijn wandelingen naar het vervuilde water van de Passaic. Wat de Dokter vooral interesseerde was hoe hij tegen andere mensen aankeek. Bobby wilde de waarheid zeggen, dat de buitenwereld hem deed denken aan een dierentuin met beesten die in hun eigen stront staan, zodat hij alleen maar met medelijden en nieuwsgierigheid kon toekijken hoe ze naar elkaar liepen te snateren, maar in plaats daarvan zei hij daar niet over na te denken.

Vervolgens werd de Dokter bot en grof en opperde hij een paar dingen waar Bobby op reageerde door te doen alsof hij ze niet begreep, omdat hij er eerst meer van wilde weten. De Dokter zei dat Bobby slim was en wist dat hij slim was en er goed uitzag en graag loog, omdat dat makkelijker was. De Dokter probeerde Bobby waarschijnlijk tot geweld te verleiden, vooral toen hij opstond en zei dat het spel voorbij was en dat Bobby eens moest ophouden te denken dat hij boven elke sociale dynamiek verheven was en dat Bobby het gedrag van anderen wel doorzag, maar er verder niets mee deed in zijn leven, omdat hij vond dat hij zich niet aan dezelfde regels hoefde te houden als zij. Waarna de Dokter weer demonstratief ging zitten en zei: 'Als je niet kunt veranderen, hou jezelf dan onder controle. Jij kunt alles wat je wilt.'

Bobby hield aan dat gesprek een tevreden gevoel over en had goede hoop, nu het beeld dat hij van zichzelf had zich eindelijk voegde naar wie hij in feite was. Of het nu andermans toetje was, een mooie auto in een tijdschrift of het meisje in bikini dat ernaast stond, hij werd nu voortdurend geprikkeld door te denken aan alles wat binnen zijn bereik was. Wat Bobby betreft, had de Dokter het volledig bij het rechte eind: hij was zo verdomde slim dat de mensen hem de keel uithingen en te midden van hen was hij een groot licht dat hemel en aarde kon bewegen, hij kon hen verkrachten en vermoorden wanneer hij maar wilde, want daarvoor waren ze op aarde.

De enige keer dat zijn Moeder bij hem op bezoek kwam moest hij haar er eerst van overtuigen dat hij geen geld had, waarna hij vroeg of ze altijd al had geweten wie hij was. Hij probeerde haar zo duidelijk mogelijk uit te leggen dat hij slim en machtig was en noem maar op, maar kapte zijn verhaal af toen hij merkte dat het haar boven de pet ging, waarna er een stilte viel in de bezoekkamer. Ze keek hem aan en zei: 'Wie denk je in godsnaam dat je bent?' Bobby reageerde op die vraag zoals hij op haar duizenden klappen in zijn gezicht had gedaan, met een glimlach, omdat het verder geen zin had.

Drie

MARK WAS VIJFENVIJFTIG en rond dezelfde tijd dat hij elke belangstelling voor zijn vrouw verloor, kwam zijn dochter in de puberteit. Karen wees hem later op alle lichamelijke veranderingen bij Heather, maar Mark merkte daar eigenlijk weinig van, behalve dat ze al bijna net zo lang was als haar moeder. Het viel hem wel op dat er nogal wat wrijving was tussen Karen en Heather, wat in eerste instantie tot verhitte gemoederen leidde en later tot een ijzige kilte, en de spanningen die Mark voelde liepen zo hoog op dat ze de ongemakkelijke relatie met zijn vrouw overschaduwden. Mark zag wel in dat Karen het gevoel had niets goeds meer te kunnen doen, nu hun dochter zich in toenemende mate afzijdig hield en haar zwijgzaamheid steeds agressievere vormen aannam, maar voor Mark, die over het geheel genomen minder tijd met haar doorbracht, was er gelukkig niet al te veel veranderd.

De uitjes van vader en dochter in het weekend werden meer dan eens afgezegd, maar als Mark daar dan niet op reageerde stelde Heather hem gerust door te zeggen dat ze ermee doorgingen, of maakte ze het zelfs goed met een ontbijt in een eettentje op een doordeweekse dag. En tegenover hem deed Heather veel minder vijandig, al hield ze zich wat meer op de vlakte sinds hij had geweigerd mee te doen aan het kritisch becommentariëren van Karen. Mark had het idee dat hij daar niet in mee moest gaan, dat was nog erger dan overspel, en hij besefte instinctief dat zijn dochter het meest had aan hem als vader, en niet als maatje en vertrouweling. Dus spraken ze over de films die ze hadden gezien of alle veranderingen in de stad en vooral over de keuze van hun volgende vakantiebestemming, want Mark wilde Heather het gevoel geven dat ze daar persoonlijk nauw bij betrokken was, aangezien hij zich geen voorstelling kon maken van een trip zonder haar.

Mark merkte dat Heather geen kind meer was op de ochtend dat ze om een kop koffie vroeg. Karen hield niet van koffie en nam aan dat haar dochter alleen maar een volwassen indruk wilde maken, maar Mark was bang dat er iets anders speelde. Hij herinnerde zich dat zijn Zus haar fatale dieetzucht was begonnen met koffie, wat later had plaatsgemaakt voor bekers heet water, die haar een vol gevoel gaven en meetelden in de totaalsom van haar dieet, geconsumeerde calorieën gedeeld door tijd, vanuit het idee dat elk moment waarop ze niet zou eten winst was, omdat ze dan meer van haar vreselijke zelf verloor.

Uiteindelijk stemde hij in met de koffie, op voorwaarde dat ze er bijvoorbeeld een muffin bij nam, en toen hij zijn dochter zag eten, zette hij die vergelijking volkomen van zich af, want de gretigheid waarmee ze daarop aanviel kon door niemand met een eetstoornis worden voorgewend. In andere opzichten, en vooral door haar slungelachtige manier van lopen, deed ze hem wel degelijk aan zijn Zus denken, maar ze toonde zich nooit afkerig van haar eigen lichaam en terwijl zijn Zus zichzelf had uitgehongerd om te voorkomen dat ze te maken kreeg met borsten, menstruatie en mannen, besefte Mark dat Heather een normaal tienermeisje zou worden, wat ook al geen geruststellende gedachte was.

Nog even en dan kwamen de vriendjes. Hij had ze gezien op weg naar school, sommigen met een loszittende stropdas, alle anderen met hoody's, riekend naar een doordringende deodorant en met condooms in hun portemonnee, en hij wist dat ze zouden proberen Heather te beklimmen en er dan snel weer vanaf zouden klauteren zodra ze hem hoorden binnenkomen, om hem aan te spreken met 'meneer'. Mark wist dat hij opa wilde worden en natuurlijk wilde hij haar gelukkig getrouwd zien, maar op zeker moment zou ze hoe dan ook uit zijn leven verdwijnen en die nabije toekomst hield hem zo sterk bezig dat hij bang was dat hij hun speciale gezamenlijke uitjes in het weekend bedierf door te veel foto's te maken en herinneringen op te halen aan gebeurtenissen die nog aan de gang waren.

Heather leerde om voortreffelijke koffie te maken; ze stelde de koffiemolen heel zorgvuldig af en spoelde de karaf van tevoren om met gloeiend heet water, en Karen stond vaak vroeg op om broodjes voor hen te halen, maar ze voelde dat ze niet welkom was en maakte er een gewoonte van te gaan fitnessen. Het slaperige geslurp en geknabbel van Mark en Heather werd een gezamenlijke routine waar geen woord aan te pas kwam, maar het was geen ongemakkelijke stilte en dat leek aan Karen een uiterst benepen reactie te ontlokken.

Met de kerst kocht Karen een handgemaakt Italiaans espressoapparaat voor Mark van 1200 dollar dat vergezeld ging van video-instructies, want het werkte nooit twee keer hetzelfde. Mark was enthousiast en geroerd, totdat Karen waarschuwde dat het te riskant was voor Heather om te gebruiken en te moeilijk voor Mark en aangezien zij de enige was die de demonstratie had bijgewoond, zou zij voortaan hun koffie maken, dat ging niet anders. Waarop Heather zei: 'Jezus, wat een zielig gedoe.' En voor het eerst gaf Mark haar stiekem gelijk.

*

Na drieënhalf jaar stond Bobby buiten de muren van de gevangenis, maar zag hij zich gedwongen terug naar huis te gaan. Het beleid van New Jersey was erop gericht om gedetineerden na ontslag geen geldbedrag, nieuwe kleren, opleiding of reiskostenvergoeding te bieden, maar hij kon wel een uitkering en voedselbonnen aanvragen, korting krijgen op een bus- of treinkaartje en zich als stemgerechtigde laten registeren. Bobby's Moeder haalde hem op in de Jeep Cherokee van haar nieuwe Vriend, een knappe kerel die aan de drank was en voormalig lid van een motorbende. Toen Bobby thuiskwam zag hij geen tv of computer, alle keukenapparatuur was verdwenen, het tapijt gesloopt en een van de badkamers volledig ontmanteld. Ze haalden het huis stukje bij beetje leeg, kregen daar pillen voor die ze dan weer inruilden voor heroïne.

Zijn Moeder en haar Vriend zaten het grootste deel van de tijd in het donker, want alle lampen stonden in de slaapkamer, waar ze marihuana probeerden te kweken. De oude kamer van Bobby was precies zoals hij die had achtergelaten en hij mocht er een tijdje blijven wonen zonder huur te betalen, tot zijn geld van de bijstand binnenkwam. Die eerste avond, misselijk van de aanblik van de met bloed bevlekte lakens en rode plastic bekertjes, rolde hij zich op om te gaan slapen, te moe om verder vooruit te denken dan het leegdrinken van de fles wodka die ze hadden laten staan op het stapeltje telefoonboeken dat als nachtkastje diende. Hij had in geen jaren een echte borrel gehad en toen de warmte zich door zijn borstkas verspreidde en zijn hoofd vulde, werd hij overweldigd door het vredige besef dat hij niet in de gevangenis was en luisterde hij met tranen in zijn ogen naar de bomen buiten het raam, die aan het eind van de winter stonden te ritselen in de wind.

De Reclasseringswerker sprak Bobby moed in met lange speeches over kansen die hij moest grijpen en was altijd goed voor een biljet van vijftig dollar en een Big Mac. De Ambtenaar was jong en zwart en toen hij zich eenmaal realiseerde dat Bobby alleen in uiterlijk een skinhead was werd hij ook echt hulpvaardig. Hij was zelfs in gesprek gegaan met de houthandel om Bobby zijn oude baan terug te bezorgen, door te benadrukken dat hij was veroordeeld wegens zware mishandeling en niet wegens diefstal, en dat Bobby op positieve gronden was vrijgelaten.

Op een dag moest Bobby zijn ruziemakende Moeder en haar Vriend uit elkaar halen, waarna hij met een blauw oog voor zijn Reclasseringswerker verscheen en ten slotte moest erkennen dat hun verslaving steeds erger was geworden; hoewel hun verhouding was begonnen met het delen van de heroïne, vochten ze nu keihard om alles wat ze hadden gescoord. Het was een wonder wat hij allemaal had doorstaan, zei de Reclasseringswerker, en hij drong erop aan dat Bobby zo snel mogelijk uit huis zou gaan.

Bobby had die man te veel verteld, maar het was wel iemand die echt om hem gaf en een aantal weken later, toen de politie erbij was gehaald na het zoveelste uit de hand gelopen nachtelijke feestje, wist de Reclasseringswerker het zeker: Bobby moest gaan sparen en zorgen dat hij daar wegkwam. Hoe kon van hem worden verwacht 'als een feniks uit zijn as te herrijzen', vroeg de Reclasseringswerker, als hij 'in zo'n verdorven milieu' verkeerde? Bobby wist dat hij gelijk had en beperkte zijn uitgaven tot drie overalls, een goed stel laarzen, zijn derde deel van de huur en een paar tweeliterflessen wodka per week.

De houthandel bleek onveranderd en zijn contact met de vrouwelijke klanten beperkte zich tot een starende blik als ze de gangpaden afliepen, op zoek naar gloeilampen of kit. Vanaf zijn hoge plek op de vorkheftruck kon hij hen zien ronddwalen, duidelijk op zoek naar een man, maar zonder iets te vinden wat goed genoeg voor hen was, zoals kabeltouw, handschoenen, of hem. Hij gedroeg zich netjes, liep geen van hen achterna tot voorbij het parkeerterrein en stelde zich tevreden met zwerftochten door zijn oude buurt, waar hij weggedoken zat achter auto's of bij de rivier lag en wrede fantasieën over hen koesterde.

In Harrison waren docenten en artiesten komen wonen, dus Bobby hoefde nu alleen maar op te letten dat hij niet werd beroofd door de junkies bij hem thuis en hield drieëntwintighonderd dollar verborgen in de voering van zijn jas. Hij droeg die jas dag en nacht en nam hem zelfs mee naar de badkamer als hij ging douchen. Soms trok hij zijn kleren uit, liet het water lopen, telde de biljetten en stelde zich dan voor dat hij naar een plek verhuisde waar meisjes woonden, niet alleen maar jonge homo's en oude polakken, en misschien dat hij daar dan een auto zou kopen en een kamer zou huren met een kleine koelkast waarin hij zijn koude drankjes kon bewaren voor bij het tv-kijken.

Half juli was er noodweer op komst, wat gepaard ging met een extreme hitte en een verstikkende benauwdheid, maar die jas moest hij aanhouden en daarmee wekte hij zoveel argwaan dat de Vriend van zijn Moeder 's nachts zijn kamer binnensloop en net zo lang op Bobby's slaperige hoofd in beukte tot hij buiten westen was. Toen hij de volgende dag bijkwam was hij doordrenkt van het zweet en duizelig. Hij had naar zijn werk gemoeten en toen hij de keuken binnen slofte, zag hij dat zijn Moeder totaal van de wereld was, met een blauw oog en een voorraadje dope voor twee dagen in haar vingers geklemd, het enige wat nog getuigde van haar Vriend. Ze was zo ver heen dat het Bobby ondanks zijn barstende koppijn lukte alles achtereen in haar aderen te spuiten, waarna hij wachtte tot ze begon te stuiptrekken, en toen ze in coma raakte, zette hij haar in een volgelopen bad en stak het huis in de fik door de brandende barbecue de woonkamer binnen te slepen.

In zijn bed op de eerste hulp vertelde Bobby aan de Politie dat hij was ontwaakt in een huis vol rook nadat de Vriend van zijn Moeder hem helemaal lens had geslagen en bestolen. Beide betrokkenen waren al talloze keren met de Politie in aanraking geweest, die dan ook de conclusie trok dat dit een onvermijdelijke uitkomst was. Bobby besloot geen aanklacht in te dienen, wat zijn Reclasseringswerker de kans gaf hem voor zijn veiligheid naar een andere plek over te brengen, en Bobby was nu wel zo wijs hem niet te vertellen hoezeer hij ernaar uitkeek de Vriend van zijn Moeder te doden, zoals hij hem ook niet onder de neus wreef dat hij echt uit de as was herrezen.

*

Toen ze de veranderingen zag bij de nu dertienjarige Heather, die eerst een lange lat werd en daarna borstjes begon te krijgen, greep de zorgzame, verrukte Karen die kans met beide handen aan om samen met haar dochter beha's te gaan kopen, haar eigen adolescentie te herbeleven en de wijsheid te delen dat dit wel degelijk veranderingen ten goede waren. In de lingeriewinkel van Madame Olga hing een doorzichtig douchegordijn en in de geïmproviseerde paskamer daarachter giechelden ze als vriendinnetjes, terwijl de buitenlandse vrouw Heathers cupmaat opnam voor een persoonlijke, perfecte pasvorm. Karen gaf Heather zelfs een cadeaubon zodat ze later grotere beha's kon gaan kopen zonder haar oude Moeder te hoeven meeslepen.

Heather kreeg een mobiele telefoon en mocht 's avonds later thuiskomen en werd zelfs met de auto naar Philadelphia gebracht voor een luidruchtig rockconcert waar het wemelde van de drugs. Toch vroeg Karen zich af of de welwillendheid waarmee ze vooruitliep op Heathers rebelse fase daar nu juist niet aan had bijgedragen, want een paar weken later werd ze erdoor overvallen als was het een vloedgolf. Karweitjes werden verwaarloosd, telefoontjes genegeerd, er werd make-up gestolen, Heather kwam veel later thuis dan ze hadden afgesproken en na eerst haar hygiëne te hebben verwaarloosd, sloeg ze nu naar de andere kant door met twee douches per dag.

In het daaropvolgende jaar ontdekte Heather op onzalige wijze gebruik te kunnen maken van haar nieuwverworven macht, door bijvoorbeeld al haar lessen over te slaan en zich zo vaak doof te houden voor de woorden van haar Moeder dat Karen haar meenam naar een audioloog. Nadat ze op een avond was berispt omdat ze aan de eettafel zat met een koptelefoon om haar nek, liep Heather rustig naar haar kamer en sloeg de deur achter zich dicht. Er brak een periode van stilte aan. Ineens werd er alleen nog maar over onbeduidende dingen gepraat en of het nu om het weer ging, de verkiezingen of zelfs het zoutgehalte van de soep, alles kon worden afgehandeld met niet meer dan een enkel woord.

Dat stilzwijgen wekte veel onrust bij Karen en haar bezorgdheid werd er dan ook niet minder op, zelfs niet nadat ze een maand lang de telefoon van haar slapende dochter had gecheckt. Enige tijd later ontdekte ze een doos tampons onder de wastafel van de logeerkamer: Heather was ongesteld geworden en het drong tot Karen door dat de tranentrekkende speech die ze had voorbereid over de toekomstige wonderen van het moederschap en de huwelijkse liefde ver over de datum was, zodat ze nu alleen nog maar met praktisch advies kon komen zoals dat je geen dingen door het toilet moet spoelen.

Sinds Heathers allereerste schooldag had Karen de gewoonte om nadat ze haar dochter had weggebracht nog even bij te kletsen met de andere moeders, die dan allemaal in sportkledij stonden te overleggen waar ze koffie gingen drinken en of ze wel koffie gingen drinken, en daarbij voortdurend aan het opscheppen waren. Hoewel niemand zoveel had om over op te scheppen als Karen, hield ze er altijd het gevoel aan over dat ze minderwaardig en kwetsbaar was en niet goed uit haar woorden kon komen. Als ze dan inderdaad gingen koffiedrinken of lunchen, was dat altijd in groepsverband en dan was zij nooit degene die het restaurant uitzocht, en haar pogingen om het gesprek te sturen door iets aan te roeren of de toon te zetten werden altijd genegeerd. En hoewel ze besefte dat ze door haar afwezigheid zelf het onderwerp van gesprek zou worden en dat hun opschepperij een symptoom was van de onzekerheid die ze bij anderen opriep, deed dat allemaal niets af aan het afschuwelijke idee dat ze het derde, vierde of waarschijnlijk vijfde wiel aan de wagen was. Het was maar beter om weg te blijven en dus had ze zich nooit kandidaat gesteld voor de ouderraad en nooit een grotere bijdrage geleverd dan papieren bordjes. De anderen zaten duidelijk niet op haar te wachten en ze voorzag dat haar diensten uiteindelijk niet op prijs zouden worden gesteld.

Karen zag haar wantrouwen bevestigd toen een van de moeders haar vlak voor de diploma-uitreiking op Heathers basisschool had meegevraagd voor een intensieve work-out in het fitnesscentrum op de hoek van 83rd Street en Third Avenue. Toen ze daar aankwamen, stelde die moeder langs haar neus weg voor dat Mark en Karen alle kosten op zich namen van het schaatspartijtje en het diner dansant op de avond van de diploma-uitreiking. De redenering die ze Karen met een glimlach voorhield, was dat ze het nu eenmaal druk had met haar gezin, dat was haar bekend, maar dat ze toch iets voor de school moesten betekenen. Ze wilden Heather toch zeker niet in verlegenheid brengen? Halverwege de work-out op de hometrainer kreeg Karen het ineens zo benauwd dat de hartslagmeter op tilt sloeg en pas later besefte ze daar in een complete paniekaanval te zijn vertrokken.

De recente bekoeling in haar relatie met Heather kon ze onmogelijk in haar eentje verwerken en zelfs Karens eigen Moeder had alleen maar gelachen en gezegd dat het met Heather heus wel goed zou komen. Dus na een paar bezoekjes aan een psychotherapeut, die natuurlijk uitliepen op een irritant gesprek over haar eigen jeugd, werd Karen zelf ook boos en chagrijnig. Ze begon haar dochter te sarren met tirannieke regeltjes en extreme straffen, hield zakgeld in en voerde zelfs een zogenaamd gesprek waarin zij beide rollen op zich nam en de monotone stem van haar dochter nadeed. Totdat Heather op een avond werd gedwongen een slaapfeestje af te zeggen vanwege de sneeuw en ze in de deuropening van Karens slaapkamer verscheen en zei: 'Ik weet waarom jij me geen vriendinnen gunt. Dat is omdat je ze zelf niet hebt en bang bent dat ik je in de steek laat', waarna ze wegliep. Ook Heathers inlevingsvermogen was volwassen geworden en nu vlijmscherp, op het pijnlijke af.

Karen kon niet meer slapen en lag in haar eentje wakker, want Mark sliep tegenwoordig altijd op de bank. Ziek van verdriet haalde ze herinneringen op aan het kleine meisje dat bij hen in bed lag te zweten van de koorts, dat moest snikken in de nasleep van een boze droom of zacht fluisterend haar poppen meevoerde over het landschap van hun dekbed. Ze waren een keer in Central Park, in het restaurant bij de zeilbootjes, toen Karen bij het oppakken van hun beider ijskoffie haar handtas liet vallen, zodat de inhoud alle kanten op rolde over het beton. Een jong stel Franse toeristen begon te helpen met het bijeenrapen van alle spulletjes, waarna Heather zei: 'Dank u wel. Mijn vriendin is een beetje klungelig.' Karen werd toen zo emotioneel dat Heather verbleekte, bang dat ze haar moeder onherstelbaar had gekwetst. Mijn god, wat was Heather toch mooi en Karen was er altijd voor haar geweest, maar had haar ook de ruimte gegeven om zelfstandig te worden en niemand die zo goedlachs was en het was maar goed dat Heather zo bescheiden was, want te veel aandacht, daar werd een mens vervelend van. Pas nu drong tot Karen door waarom ze zo had gereageerd, want het enige wat ze ooit had gewild was dat Heather haar vriendin was.

Al treurde Karen om het verlies van wat voorbij was, waar ze pas echt het land aan had, was dat Mark de vruchten plukte van al haar harde werk en zijn eigen conflicten met hun dochter breed uitmat, terwijl ze het in de meeste gevallen prima met elkaar konden vinden en plezier hadden in hun gedeelde belangstelling voor koffie, winkelen en alles wat Heather maar wilde.

*

De problemen voor het gezin Breakstone begonnen pas echt toen het penthouse werd verkocht aan een hedgefondsmanager met zijn vrouw en twee zonen. Ze wilden hun appartement helemaal uitbreken en boden hun nieuwe buren aan een halfjaar lang een deel van de servicekosten te vergoeden als ze toestemming kregen gedurende de sloop een stortkoker te plaatsen van hun toekomstige keuken naar een afvalcontainer. De corporatie van eigenaren, die gewoonlijk dwarszat, bood haar jongste, vrijgevigste bewoner een compromis aan en de hedgefondsmanager stemde ermee in van dit ongerief gebruik te maken door ook de renovatie van de gehele buitengevel voor zijn rekening te nemen. In de liften overheerste wantrouwen en jaloezie, maar nog geen paar weken later stond het hele complex in de stijgers en verreweg de meeste gezinnen besloten te vertrekken.

Mark realiseerde zich dat Karen de meeste hinder zou ondervinden van de werkzaamheden overdag, maar toen hij voorstelde een gemeubileerd appartement te huren in het Carlyle House werd duidelijk dat ze geen belangstelling had voor zo'n drastische, zij het tijdelijke maatregel en zelfs al opzag tegen het laten doorsturen van de post. Dus bleven ze daar wonen en hielden de mogelijkheid open om later alsnog te vertrekken, als het regelmatig wegvallen van de water- en elektriciteitsvoorziening of het voortdurende kabaal hun te zwaar zou vallen. Heather had geen stem in die beslissing, maar ze maakten zichzelf wijs dat ze bereid waren hun comfort op te geven om haar de vaste basis te bieden die zo belangrijk was voor het welzijn van een tiener.

Mark had zeker oog voor de schoonheid van New York in de herfst, maar het werd al snel duidelijk dat dit een kil najaar zou worden, als één lange februarimaand. De dag na Labor Day ontving hij een memo dat weinig goeds voorspelde voor hun eindejaarsbonus en een week later werd de strijd om de verbouwing aangegaan en verloren. Het ergste was nog wel dat Heather aan het begin van het schooljaar lid was geworden van de debatclub, een liefhebberij waarvoor ze hele middagen en weekenden uittrok, met oefenwedstrijden en toernooien waarvoor ze soms de stad uit moest.

Ze was er goed in, werd politiek geëngageerd en zocht de discussie, hoewel ze dankzij haar natuurlijke charme altijd een redelijke indruk maakte. Tegen hem bleef ze opgewekt en spraakzaam, maar het nam haar volledig in beslag en hij vond het vreselijk als ze haar koffie meenam in de dure thermosfles die Karen voor haar had gekocht en naar Buffalo, Chicago en Dallas vloog. Wat hem nog het meest tegenstond, waren de nachten die ze in een hotel doorbracht te midden van de slempende tienermeisjes en elke keer gebeurde er wel iets, niet dat Heather daar ooit bij betrokken was, maar er was altijd drank in het spel en oudere meiden die naar andere kamers gingen.

Heather verzekerde hem ervan dat ze jongens nog steeds irritant vond en de voorkeur gaf aan haar meisjesschool, waar ze geen van allen verborgen hoefden te houden dat ze slim waren of ambitieus om een vriendje te krijgen, en Mark besefte dat de ideeën van Heather allemaal heel weldoordacht waren en werden geponeerd als te verdedigen standpunten. Hij begon te krant te lezen om haar bij te kunnen houden, want zijn meningen waren vaak achterhaald en gebaseerd op allang weerlegde statistieken. Hij hield van de intellectuele discussies die ze nu aangingen, hoe hoog de emoties ook konden oplopen, want hij moest erkennen dat ze hem met haar logica vaak de baas was en was er trots op dat het meisje, opgegroeid in deze wereld, op zulke scholen, over zo'n diepgaande economische empathie beschikte.

Het enige onderwerp dat ze meden, was het gebouw, want Heather was enthousiast over alle veranderingen, terwijl Mark zich kwaad maakte om de misère van het kabaal en het stof, waarvoor hij zichzelf de schuld gaf. Hij had die hele verbouwing over iedereen afgeroepen door nooit zo veel te gaan verdienen dat hij zelf het penthouse had kunnen kopen, of, belangrijker nog, door nooit een plekje te veroveren op 5th Avenue, waar zulke problemen niet voorkwamen, je uitzicht had op Central Park en alleen maar hoefde terug te denken aan de leuke dingen uit je jeugd.

Toen de bouwwerkzaamheden twee weken aan de gang waren, begon Karen plannen te maken voor Heathers veertiende verjaardag, wat gepaard ging met de nodige nutteloze tochtjes naar allerlei bakkerswinkels en restaurants om zelf poolshoogte te nemen. Ze reserveerde bij twee gelegenheden een tafeltje, waarna ze een sms aan haar dochter stuurde met de vraag wat ze liever wilde eten met haar verjaardag, Frans of Italiaans. Toen een paar minuten waren verstreken, drong het tot Karen door dat het wel eens lang zou kunnen duren voordat er een antwoord kwam, waarna ze in straf tempo over Lexington Avenue begon te lopen en in gedachten het ene na het andere sms'je schreef, dat ze een tafeltje van vier had gereserveerd en er dus een vriendin meekon, dat ze vanwege het stof niet thuis konden eten en dat het ook geen plek was om iets te vieren en wat kon ze er verder nog van zeggen, het was godverdomme Heathers verjaardag, dus wilde ze nog met hen uit eten of hoe zat dat?

Toen Karen het appartement binnenstormde, bleek de extreme hitte die vanuit de kelder naar boven werd gestuurd niet afgestemd op de ongewone warmte voor de tijd van het jaar, en ze rende snel naar de keuken, waar ze het raam had dichtgedaan tegen het kabaal, en zette het wijd open, met het heilige voornemen dat nooit meer te sluiten. De keuken stond nog steeds in een helder licht, het gebouw ernaast was te dichtbij voor het plaatsen van een steiger, en Karen kwam daar langzaam op adem, met haar handen op de smalle vensterbank van het lage raam, keek tien verdiepingen omlaag en overwoog de dramatische mogelijkheden van een permanente transformatie.

Ze herkende de paniek en nadat ze een glas wijn had genomen met twee antihistamines ging ze aan de keukentafel zitten om voor de tweede keer in haar leven een lijstje te maken, met aan de ene kant 'Argumenten voor het leven' en aan de andere kant 'Tegenargumenten'. Stond Heather nog steeds boven aan het lijstje met pluspunten? Ergens klaarde haar hoofd weer een beetje op en Karen begon haar gedachten te laten gaan over andere doelgerichte levenspaden, zoals een terugkeer naar haar werk in de public relations of plastische chirurgie om haar borsten en oogleden te corrigeren. Ze wist dat die voornemens haar konden helpen de adolescentie van Heather te doorstaan en dat een onafhankelijke instelling, hoe onoprecht ook, haar goed van pas zou komen als haar dochter volwassen werd en bij haar terugkeerde. Ze besefte ook, toen ze haar vel papier bekeek, dat Mark afwezig was als argument voor wat dan ook.

*

Bij zijn vertrek uit Harrison had Bobby bijna twaalfhonderd dollar, deels van de overlijdensuitkering die hem was toegekend door de staat, deels van een inzameling die was gehouden bij de houthandel, als betuiging van medeleven met het overlijden van zijn arme moeder. Met behulp van zijn Reclasseringswerker ging Bobby op zoek naar werk op een andere locatie en belandde in een pension in North Bergen, in de buurt van het gebied dat bekendstond als de Routes 1 and 9. Dat was een goede plek om werk te zoeken, want er liep een tolvrije snelweg die uitmondde bij de Holland Tunnel, met als gevolg dat aan weerszijden een zone was ontstaan als één groot, aftands garagebedrijf annex gereedschapsschuur voor New York City. Hij volgde het advies van de man die zijn sollicitatie bij een meubelzaak had afgewezen en voegde zich bij degenen die rondhingen op een parkeerterrein, in afwachting van de ene na de andere truck die mannen en jongens oppikte voor klussen van vijftig dollar per dag. Je kon nog zo jong en sterk zijn, maar dat was geen garantie dat je werd gekozen en dus begon hij de Mexicanen te imiteren die dankbaar glimlachten hoewel ze niet gelukkig waren en hun ochtendlijke biertjes nooit met hem deelden en onder elkaar Spaans spraken alsof hij er niet bij was.

Toen hij daar eenmaal dagelijks in de rij stond, ook in de weekenden, kreeg Bobby geregeld werk; hij spaarde geld en maakte zelfs kans om permanent deel te gaan uitmaken van een ploeg in Manhattan. Afgezien van een paar schoolreisjes en het circus was hij daar nog nooit geweest en hij vond het een heerlijke tocht, van het moment dat de stad in zicht kwam tot ze uit de tunnel opdoken, in noordelijke richting afbogen en hij de reusachtige gebouwen ineens van dichtbij zag. De stad was heel planmatig opgezet, keurig in blokken verdeeld, stalen dozen die waren gevuld met glazen dozen; zelfs de auto's waren in de meeste gevallen zwart, rechthoekig en aan elkaar gelijk. Wat Bobby het mooist vond, was als ze het groene park met de agenten te paard voorbij waren en zo veel vaart konden maken dat hij bij de oversteek van elke avenue een felle flits van de lucht opving en de cadans van de straten voelde.

Maar op de trottoirs voelde Bobby zich niet op zijn gemak en hij zag zoveel mensen voorbijkomen die geen oogcontact maakten dat hij moest denken aan zijn eerste weken in de gevangenis. Wat hij ook al onplezierig vond, was de stank, niet van de dieselolie of de vuilnis, maar de luchtjes van mensen waarvan hij telkens een zweem opving, alsof alle onbekenden een huid en een adem hadden die naar uien en kots roken. Het onophoudelijke voetgangersverkeer en de algehele chaos op de plek waar hij nu werkte maakten het onmogelijk voor Bobby om die luchtjes uit de weg te gaan, met oude dames die idiote vragen in zijn gezicht bliezen en plastic zakjes met warme hondenpoep in hun handen hielden. De stank van mottenballen en menselijke rotting maakte hem vaak zo misselijk dat hij zich schuilhield in het uitgebroken appartement op de hoogste verdieping, meestal boven het dakterras, waar hij in zijn eentje het uitzicht en de teerhoudende dampen van het dakleer tot zich kon nemen.

Het was vanaf zijn plek op het dak dat Bobby op een namiddag voor het eerst een zweem opving van een geur die maakte dat hij zijn koffie liet vallen en diep inhaleerde. Zijn neus en longen vulden zich met een mengeling van tabak, zeep en bloed, wat allemaal ontsprong aan een lang mager meisje dat in haar telefoon stond te praten, met rook die om haar halflange lichtbruine haar kringelde alsof ze in brand stond.

Voor iemand anders zou het zijn geweest alsof de tijd tot stilstand kwam, maar Bobby had geen idee van tijd, zodat alles altijd saai of boeiend was, of, als het om mensen aankwam, bedreigend of opwindend.

Hij keek naar haar in het besef dat ze meende alleen op het dak te staan, zag hoe ze haar geruite jurkje straktrok om haar zachte dijen wat beter te bedekken en op kauwgom kauwde om zich klaar te maken voor haar terugkeer in het gebouw. Bobby staarde naar het meisje en voelde zo'n overweldigend verlangen dat hij dacht dat hij zou flauwvallen of klaarkomen.

De truck vertrok om vijf uur precies, wat betekende dat hij het meisje die dag niet meer te zien zou krijgen, maar het was niet moeilijk geweest te achterhalen wie ze was, want er woonden nog maar twee of drie gezinnen in het complex en de post lag opgestapeld op een tafel in de gesloopte lobby. Haar naam was Karen of Heather Breakstone, ze woonde op de negende verdieping en hield van catalogi en tijdschriften waarin zakjes parfum zaten bijgesloten.

Op de terugweg maakte Bobby zich kwaad, hij vervloekte zichzelf dat hij geen foto had gemaakt met zijn telefoon en probeerde in gedachten haar gezicht en lichaam voor zich op te bouwen, en toen hij thuiskwam zocht hij naar een foto van een meisje waarbij hij kon fantaseren dat zij het was. Degene die nog het meeste op haar leek was een cheerleader in een pornofilm, maar ze had niet van die perfecte tietjes of van die lange volle dijen die werden afgekapt door haar geruite jurkje of minuscule haartjes op haar wangen waardoor het er in de zon op leek dat ze met stofgoud was besprenkeld.

Toen Bobby zijn Moeder doodde, had dat niet als een bevrijding gevoeld. Hij had haar eenvoudig laten gaan, zijn handelingen waren zo doelgericht en vastberaden geweest dat zelfs het in brand steken van haar huis hem geen voldoening had gegeven. Zijn impulsen waren zo lang verloochend dat ze zo langzamerhand de vorm aannamen van een zacht gebrom, een aandrang die voortdurend in zijn lichaam doorklonk, alsof er door zijn ledematen een veer werd aangespannen.

Dagelijks een glimp opvangen van het meisje was het enige wat hij wilde of het enige wat hem was vergund, want oogcontact met de bewoners was verboden, zeker voor Bobby, van wie ze wisten dat hij een strafblad had. In eerste instantie behielp hij zich door naar haar te kijken in de scherf van een weggeworpen spiegel, die hij daarna gebruikte om foto's en filmpjes te maken op zijn telefoon, wat hij slim vond van zichzelf, maar het bleef een risico en hij wilde dit baantje op geen enkele manier in gevaar brengen, uit angst haar helemaal niet meer te zien te krijgen. Hij begon haar te volgen met zijn neus, door de nevelige parfum op te snuiven die om hun appartement hing en in hun vuilnis, vooral die van haar, met watten, wattenstaafjes en ander spul dat een sterk ijzerhoudend aroma verspreidde. Hij wist dat hij niet het risico kon nemen hun appartement binnen te gaan, maar soms at hij zijn lunch op de steiger voor haar slaapkamer en keek door het raam, naar het werkelijke decor van zijn steeds verder uitgewerkte ideeën.

Hij probeerde rustig te blijven en raakte vertrouwd met de gewoontes en de dagelijkse gang van zaken binnen het gezin dat, zoals hij nu besefte, klein was. De Moeder en de Vader van het meisje, de Conciërges, haar vriendinnen en zelfs de Ploegbaas leken evenzeer als Bobby hun leven rond haar aanwezigheid te hebben ingericht. Mensen stonden haar op te wachten of liepen een blokje met haar mee en iedereen bleef altijd even staan om haar langs te zien lopen. Hij zag dat allemaal vanuit zijn ooghoeken alsof het een soapserie was en zelfs van een afstandje raakte hij steeds beter vertrouwd met het karakter van het meisje, want een groot deel van het gezinsleven speelde zich hier in de straat af.

Heather – zoals Bobby haar nu voor zichzelf noemde, nadat hij een glimmende vierkante envelop had gezien van de zogeheten Cystic Fibrosis Foundation, gericht aan mevrouw Karen Breakstone – ging net zo slim met anderen om als hij, vooral met haar ouders:

ze deed flirterig tegen de Vader met zijn babyface en uit de hoogte tegen de Moeder met haar zware borsten. Maar het viel hem op dat Heather de rest van de tijd heel anders was dan hij, ze lachte en was zelfverzekerd, was vriendelijk voor haar dikke vriendinnetjes, zei door de telefoon niets dan lieve dingen en verkruimelde zelfs het restant van haar muffin op de stoep voor de vogels. Ze straalde van leven, zelfs als ze alleen was, of dacht dat ze alleen was.

Een glimp van haar opvangen was natuurlijk nooit genoeg en toen ze na verloop van dagen kippenvel kreeg van de kou, hulde ze haar benen vaak in een trainingsbroek die gelukkig losjes rond haar middel zat en op een dag, toen ze even stilhield onder de luifel, boog ze zich voorover en zag hij de bovenkant van haar babyblauwe panty. Bobby stond bij de afvalcontainer aan de rand van de stoep, maar had geen tijd om zijn telefoon te pakken. Dat maakte niet uit, want ineens rende ze de straat over naar haar Vader en alsof hij het had afgedwongen keek ze heel even over haar schouder naar Bobby, hun ogen troffen elkaar en terwijl alle geluiden van de stad uit de lucht kwamen getuimeld en stilvielen, probeerde hij zich te herinneren hoe hij moest glimlachen.

Bobby wist nu alles wat hij moest weten en dat hij te bescheiden was geweest in zijn plannen en veel verder moest gaan dan haar opsluiten in een kamer om haar van boven tot onder te nemen, op elke denkbare manieren en in alle mogelijke houdingen en posities. Om te voorkomen dat hij werd gepakt moest hij Heather hoe dan ook doden, maar hij dacht steeds terug aan die keer op zijn dertiende toen hij met een maatschappelijk werkster naar de katholieke kerk was geweest. Hij herinnerde zich dat hij de hostie en de wijn in zijn mond had genomen en dat hij toen werkelijk het gevoel had gekregen dat ze in iets anders werden omgezet, alsof je een vleug opving van verhitte cocaïne, en na afloop was hij naar huis gerend en als een razende tekeergegaan, hij had er met zijn blote handen op los geslagen, brievenbussen en vuilnisbakken omvergeschopt en zelfs de voorruit verbrijzeld van een auto met enkel zijn vuist. Hij wist toen zeker dat zijn krachten en vermogens afkomstig waren van het kleine beetje God dat hij had gegeten en hij had maandenlang geprobeerd nog eens ter communie te gaan, maar de maatschappelijk werkster was overgeplaatst en Bobby was te verlegen geweest om in zijn eentje een kerk binnen te gaan.

Die nacht in zijn hotelkamer lag Bobby stijf als een plank op bed, starend naar haar gezicht op zijn telefoon, en omdat hun ogen elkaar nu hadden getroffen en ze bij iedereen zo geliefd was, wist hij dat ze zijn hostie en wijn zou zijn. Hij vroeg zich af in wat voor wit licht hij zou veranderen als hij haar op nog veel meer manieren zou nemen na haar eerst langzaam te hebben gewurgd. Heather zou helemaal van Bobby zijn en ze zouden één worden in zijn binnenste en hij kon het begin en het einde zijn van alles.

Vier

ERGENS TUSSEN HEATHERS veertiende verjaardag en Halloween kreeg Mark nog meer onheilspellend nieuws over zijn bonus te horen en ging hij op zoek naar een andere baan. Hij had de fout gemaakt Karen daarvan op de hoogte te stellen en ze maakte zich natuurlijk zorgen, maar koos zijn kant tegen de minderwaardige blaaskaken die hem stuk voor stuk voorbijstreefden door basketbal te gaan spelen met de baas en diens zoon. De vooruitzichten voor Mark waren niet slecht; hij liet zich voorstaan op de tienjarige groeicurve van zijn bedrijf en door jarenlang hardlopen was hij slank gebleven en zijn bolle gezicht was nu eindelijk neergedaald rond zijn schedel, wat hem een bezadigd, doorleefd voorkomen gaf.

Al snel begonnen de sollicitatiegesprekken, die hij geheim moest houden alsof hij een affaire had, met telefoontjes buiten werktijd en afspraken in verafgelegen restaurants, zodat het kantoor er niets van te horen kreeg. Mark ging vaak zelfs nog vroeger hardlopen om ontbijtafspraken te kunnen maken, soms in het donker. De stille stad voor zonsopkomst gaf hem de gelegenheid hardop te oefenen, zijn successen en ervaring op te sommen in het staccato ritme van zijn ademhaling.

Op de dag van een wel heel veelbelovend gesprek ging Mark extra lang hardlopen om bij zijn terugkeer tot de ontdekking te komen dat het water en de elektriciteit waren afgesloten. Hij overwoog het gruwelijke idee zich met een handdoek af te drogen en een pak aan te trekken en intussen drong tot hem door dat de wekkers het niet deden, dus wekte hij Heather en Karen en bespatte zichzelf al vloekend met eau de cologne. Karen liet hem weten dat ze van tevoren waren gewaarschuwd en Mark had dus nauwelijks grond om zich te beklagen, waarna hij boos en ten einde raad de deur uit liep om twee lattes te halen, eentje voor Heather en eentje voor zichzelf. Hij voelde zijn zwetende nek in het gesteven boordje en vroeg zich af waarom ze nog steeds in dat gebouw waren, waarom het zo nodig vandaag moest en of het soms door de hoeveelheid eau de cologne kwam die hij had opgedaan dat de vrouw achter hem in de koffietent moest niezen.

Met twee klotsende bekers koffie op een plateautje liep hij terug naar het appartement en overdacht zijn stommiteiten, waaronder het feit dat hij tijdens de sollicitatie nog meer koffie moest drinken, en toen hij op het punt stond de straat naar zijn appartement over te steken, waar Heather hem opwachtte, bleef hij stokstijf staan. Heather stond op haar telefoon te kijken en een van de bouwvakkers keek naar haar. Het was een kleine kerel in een overall en de manier waarop hij haar aanstaarde was zo hitsig en intens dat Mark over straat schoot en Heather een duw gaf alsof hij tussen haar en een naderende auto in stapte. Heather reageerde geïrriteerd en niet-begrijpend en pakte haar koffie aan, waarna ze begonnen te lopen en Mark een blik over zijn schouder wierp naar de Bouwvakker, die gemillimeterd haar had, zilverkleuriger dan bij zijn leeftijd paste, en lichtblauwe ogen die hij nu had afgewend om verder te gaan met puinruimen.

Mark was er met zijn hoofd niet bij tijdens de sollicitatie, zozeer dat hij vergat zijn best te doen en zowaar een baan kreeg aangeboden, maar dat bood hem geen troost en nadat hij weer op zijn werk was gekomen en zijn lunch had uitgepakt vertrok hij naar huis, benauwd op een manier die hem zijn weinige eetlust had ontnomen. Met tollend hoofd stelde hij zich op aan de overkant van de straat, zich afvragend of hij dit deed uit verlangen om op de loer te liggen of dat het hem ook echt te doen was om de veiligheid van zijn dochter, die op datzelfde moment ongetwijfeld van school vertrok. Hij deed alsof hij in zijn telefoon stond te praten en intussen kwam de Bouwvakker met een kruiwagen naar de vuilcontainer gelopen, waar hij achteloos bleef staan tot Heather op precies het verwachte tijdstip de hoek om kwam en hij ineens aan het werk ging.

Mark keek toe hoe zijn dochter op hun huis afkwam, zich niet bewust van de lange misselijkmakende blik die haar werd toegeworpen, en toen Heather naar binnen liep en die griezel zijn mond afveegde en zijn ogen zich een weg onder haar jurkje naar boven baanden, vroeg Mark zich af of hij hem van de overkant van de straat zou toeschreeuwen of de confrontatie met hem aan moest, maar in plaats daarvan zoomde hij in met zijn telefoon, nam een foto en belandde op een of andere manier in Central Park, waar hij zijn dag was begonnen, nu in de ban van onbeschrijflijke gedachten.

Hij vroeg zich af of deze kleine, vunzige skinhead alleen vandaag twee keer op zijn dochter had staan wachten of dat hij er een gewoonte van maakte, en of uit die roofdierenblik meer sprak dan een overweldigende wellust. Het kon de blik zijn van een man die voorzag dat hij zou worden afgewezen en een hekel had aan dit verwende kreng, dat elegant was en jong en hem kwelde door langs hem heen te paraderen met alles wat buiten zijn bereik lag. Mark zou willen dat het alleen wellust was waarmee zijn dochter was opgenomen, en vervolgens stortte hij zo ongeveer neer op een bankje om op adem te komen, want zijn lichaam had meteen al de conclusie getrokken waar zijn hoofd pas een uur later aan toekwam: die blik van de Bouwvakker was zó agressief geweest en zó hunkerend dat Mark daar in feite hard voor was weggelopen.

Toen Mark thuiskwam, maakte Karen dankbaar gebruik van het warme water en de elektriciteit, zoals men doet als de basisvoorzieningen zijn hersteld, om een gezinsmaaltijd te bereiden met pasta tricolore, Heathers favoriet. Hij kwam de deur in gestapt met loszittende das en doorweekt overhemd, stond erop dat ze met elkaar zouden praten en vertrok naar de slaapkamer. Pas veel later, toen Mark aan tafel verscheen om te eten, geïrriteerd en net onder de douche vandaan, drong tot Karen door dat hij in de slaapkamer op haar had zitten wachten voor een gesprek onder vier ogen. Tijdens de maaltijd voelde ze zijn ongeduld almaar toenemen, terwijl ze het de laatste tijd nu juist zo fijn hadden, want ze had geleerd dat ze een gesprek met Heather kon aanknopen door terloops discussieonderwerpen aan te roeren als de radicale islam of de wapenbeperkingswetten.

Tegen de tijd dat het licht bij Heather uitging, had Mark een halve fles whisky achterovergeslagen en

Karen sloot met angst en beven hun slaapkamerdeur. Ze dacht terug aan het zweet en zijn beschaamde blik toen hij was thuisgekomen en nam aan dat hij op het punt stond toe te geven dat hij haar ontrouw was, of, waarschijnlijker, zijn baan had verloren. Ze maakte ruimte voor hem op bed, maar hij koos ervoor te blijven staan en vertelde geëmotioneerd fluisterend wat hem die dag was overkomen.

*

Mark aarzelde nu, niet omdat hij dronken was en niet omdat hij in korte tijd tot verstrekkende conclusies was gekomen, maar omdat hij niet wist welke details hij kon delen zonder irrationeel over te komen. Hij was zo verstandig Karen niet de foto op zijn telefoon te laten zien, dus het enige wat hem restte, was vertellen over het gevaar dat hij had gesignaleerd en haar uitleggen dat hij die blik weleens eerder had gezien, in de ogen van een van zijn vaders beste footballspelers, en om daarvan te getuigen was er het bekende geval van twee verkrachte en vermoorde meisjes aan een universiteit in het zuiden, en toen hij Karen in reactie daarop nota bene zag glimlachen, werd hij razend. Karen zwoer dat ze zich niet vrolijk om hem maakte, maar eenvoudig opgelucht was dat zijn nieuws daarop neerkwam en ze maakte zich oneindig veel drukker om de uitkomst van zijn sollicitatie dan om het gevaar voor hun dochter.

Hij wilde er niet over in discussie: hij of Karen, als ze dacht meer gewicht in de schaal te leggen, moest de Ploegbaas hier tot in de kleinste details van op de hoogte stellen en erop staan dat de Bouwvakker werd ontslagen, of op zijn minst werd overgeplaatst. Met die ondubbelzinnige stellingname trok hij eindelijk Karens aandacht en na er even over te hebben nagedacht, verwierp ze die oplossing en herinnerde hem eraan dat deze Bouwvakker precies wist waar ze woonden. Mark gaf haar gelijk en opperde om naar de politie te gaan. Maar wat moesten ze dan precies zeggen, wierp Karen tegen, want er was eigenlijk niets gebeurd, ze hadden geen aanleiding om een klacht in te dienen, behalve dan de gevoelens van Mark, die zelfs op zijn vrouw een overdreven indruk maakten. Mark gaf haar nogmaals gelijk en eiste dat ze de volgende dag naar een hotel gingen en dan uitkeken naar een appartement waar ze de verbouwing konden uitzitten.

Karen bracht daar kalmpjes tegen in dat het werk aan de buitengevel rond Thanksgiving zou worden afgerond en het was al Halloween en het leek onzinnig nu nog te verhuizen, want dat gaf nog steeds dezelfde ongemakken als twee maanden geleden. Ze nam zijn zorgen serieus, maar realiseerde zich ook dat de stress rond hun appartement, zijn zoektocht naar een nieuwe baan en de verwijdering tussen hen tweeën hem een onredelijke angst hadden ingegeven. Ze gaf toe dat ook zij zich zorgen maakte om die problemen, om er nog maar over te zwijgen dat ze genegeerd werd door haar dochter, en eerlijk gezegd leken die bouwvakkers haar onschuldig en fatsoenlijk en ze had niet eens geweten om wie het ging totdat Mark had gezegd dat hij blank was.

Mark vloekte, zei dat ze uit haar nek kletste en dat het werk zou doorgaan tot in het voorjaar en dat ze in het appartement waren gebleven omdat het beter was voor Heather, niet om het gemakkelijke leventje van Karen nog gemakkelijker te maken, en dat ze de hele tijd dat verdomde keukenraam liet openstaan zodat er nog eens iemand een longontsteking zou oplopen en als het daar dan zo warm was, moest ze misschien eens opstaan met die luie reet van haar en de deur uitgaan om iets te ondernemen.

Karen was pijnlijk getroffen. Ze hoefde verdomme toch zeker aan haar man geen rekenschap af te leggen over hoe ze haar leven leidde en hem ook niet te vertellen wat ze allemaal voor haar gezin deed of dat ze het best vond als hij weg wilde om dan in het weekend Heather te komen opzoeken, of dat ze daar hoe dan ook bleef wonen, en net deze week had ze een balletje willen opgooien in de uitgeversbranche en waar haalde hij het lef vandaan om haar een egoïst te noemen terwijl ze een afspraak had gemaakt bij de plastisch chirurg om er voor hem weer wat jonger en sexy uit te zien?

Maar in plaats van dat alles haalde ze eens diep adem en zei iets wat al lange tijd door haar hoofd speelde: dat de aandacht van Mark voor hun dochter ongezond was en dat ze zich daar ongemakkelijk bij voelde. Ze hulde haar beschuldiging in woorden van bezorgdheid, maar toen ze zijn ontstelde reactie zag, krabbelde ze een beetje terug en maakte haar aantijging alleen nog maar erger. Ze vertelde hem kort en goed dat ze niet wist hoe het was om een vader te zijn en al maakte ze zich zorgen dat Heather het verkeerde type aantrok of welk type dan ook, hij was een overbezorgde stakker en ziekelijk jaloers op elke man die in de buurt kwam.

Mark walgde van haar suggestie en riep dat ze een hypocriet was. Als er iemand was met een obsessie, was zij het. Zij was degene die gefixeerd was op niets dan haar dochter. Hij stond erop dat ze zouden verhuizen. Als ze het niet voor hem deed, dan deed ze het maar voor Heather, riep hij, want voor hem deed Karen nooit iets; bij haar stond hij helemaal onderaan de lijst en ze zou zelfs geen kop koffie voor hem zetten als ze daarmee geen indruk kon maken op Heather.

Het voelde goed voor Mark om dat te zeggen, maar toen ze naar een kussen greep en de kamer uit liep, wilde hij dat hij het terug had kunnen nemen. Hij zat in zijn eentje op hun onopgemaakte bed en zijn woede keerde zich naar binnen, want hij wist dat hij dit allemaal verdiend had omdat hij zo laf was geweest een reëel gevaar met zijn vrouw te delen. Hij zag nu wel in dat dit een noodsituatie was en niet een of ander voorwendsel om de waarheid tussen hen tweeën aan het licht te brengen. Die afgrijselijke woorden van Karen, dat was duidelijk haar jaloezie, erop gericht zijn hechte band met Heather te vernietigen, en het was nu eenvoudig aan hem om daarboven te staan en sterker te zijn. Hij bood Karen zonder enige terughoudendheid zijn excuses aan en gaf haar gelijk dat zijn reactie overdreven was geweest en ze gingen niet verhuizen.

Karen glipte naast Mark onder de dekens, een en al valse vergevingsgezindheid. In gedachten was ze onvermurwbaar en ze had geen spijt van haar ideeën, alleen dat ze die hardop had uitgesproken. Terwijl hij zich omdraaide in zijn slaap wierp ze hem over haar tablet heen een heimelijke blik toe en kon maar niet geloven dat de grappige, liefhebbende man met wie ze was getrouwd een paranoïde sukkel was geworden die haar niet eens zag staan. Ze knipte het licht uit en dacht aan de toekomst en beeldde zich in dat ze een minnaar had, misschien een van die knappe vaders op school die gewoon op zoek was naar een avontuurtje, en al wegdommelend legde ze een hand op haar kruis om zich zachtjes te troosten, precies zoals ze deed toen ze een kind was.

Mark deed alsof hij sliep en vroeg zich af of hij Heather moest waarschuwen of haar hier zelfs over moest vertellen, maar hun verstandhouding was zo fragiel dat hij die niet durfde te verstoren. Hij bedacht dat het geen kidnapping zou zijn als hij zijn eigen dochter meenam voor een fantastische vakantie op de Turks- en Caicoseilanden en dan zou de boodschap misschien ook tot Karen doordringen en ging ze mee. Hij had er echt spijt van dat hij haar dit had verteld. Hij had hen beiden moeten verrassen met een spontane vakantie en dan iemand moeten betalen om nog voor hun terugkeer hun inboedel naar een andere woning over te brengen, maar nu was het te laat en hij vroeg zich af hoe hij Heather hier alsnog kon weghalen en of hij niet iets zwaars naar beneden kon laten vallen, zoals een moersleutel of een baksteen, om de schedel van de Bouwvakker te verbrijzelen.

*

Zoals op de meeste avonden zat Heather in het donker op haar telefoon te kijken, zich ervan bewust dat haar ouders op waren van de zenuwen en zichzelf niet konden zijn zolang ze dachten dat zij wakker was. Ze hoorde hen kibbelen die avond, maar had al jaren geleden geleerd om dat te negeren, want het ging altijd om haar en leidde in wezen nergens toe. Haar Vader en Moeder hadden volstrekt geen oog voor gevoelens. Haar Vader ontkende zelfs maar dat hij ze had en haar Moeder ging ervan uit dat iedereen die van haar deelde. Heather had jarenlang niet beseft dat haar vermogen om de gevoelens van anderen te zien en ze soms ook zelf te ervaren ongebruikelijk was en toen ze ontdekte dat de wrede, botte manier waarop volwassenen en haar vriendinnen met elkaar omgingen niet zo bedoeld was of op zijn minst voortkwam uit onwetendheid, had ze besloten zich terug te trekken, overweldigd als ze werd door de pijn van het gangbare menselijke gedrag.

Heather had zich altijd mooi gevoeld en een rechtvaardigheidsbesef gehad en geweten dat iedereen zijn best wilde doen, maar als ze zag hoe anders haar ouders deden als ze thuis waren en dat ze niet in elkaars geluk konden delen, vroeg ze zich af wat ze hen had aangedaan in hun leven. Vroeger luisterde ze naar hun geruzie en sloop ze zelfs weleens hun kamer binnen om zich achter het voeteneind van hun bed te verstoppen en dan hoopte ze vurig dat ze gingen scheiden, zodat ze haar liefde eindelijk in gelijke mate over hen tweeën kon verdelen en de wereld met een glimlach tegemoet kon treden zonder zich zorgen te hoeven maken dat Mark of Karen tussenbeide kwam.

Het was met pijn in het hart dat Heather las over wat er op de wereld gebeurde, maar ze was altijd op zoek naar een nieuwe invalshoek om haar argumentatie aan op te hangen, zodat ze in januari naar de Stanford Invitational zou worden afgevaardigd, wat een reisje naar Californië betekende en een kans op een plek in de nationale competitie, als haar Vader er geen stokje voor stak. Ze hield van polemiseren, van reizen en van leeftijdsgenoten ontmoeten, maar haar keuze voor de debatclub, met de ingang die deze bood tot het openbaar bestuur en de rechtspraak, kwam voort uit het langzaam gegroeide besef dat haar ouders geen van beiden tevreden waren met hun nietszeggende carrière. Ze had gezworen dat ze alles zou doen om te voorkomen dat ze net zo ongelukkig zou worden als zij, door hard te studeren en haar best te doen om vrienden te maken en geen vijanden. Tegelijk hield ze ervan het pleit te winnen, wat ze vaak deed en op een vriendelijke manier, zodat het leek alsof het haar echt te doen was om de feiten en de moraal, al juichte ze vanbinnen om haar triomf.

Die huichelachtigheid zat haar dwars, net als het feit dat ze haar aandacht steeds meer op zichzelf richtte. Het was jaren geleden dat ze zich zorgen had gemaakt dat haar Vader een hartaanval zou krijgen tijdens het hardlopen of dat haar Moeder kapot zou zijn van verdriet als ze naar school ging. Maar waarom zou ze zich druk om hen maken? Haar beide ouders verdienden het toch zeker te worden genegeerd met hun dodelijk vermoeiende gebedel om haar aandacht en liefde? Dat was toch niet meer dan normaal? Andere ouders gedroegen zich net zo, maar die van Heather waren ronduit verstikkend en hoewel het haar moeite kostte, viel ze hen nooit af door hun gedrag met anderen te delen, want ze wist dat het een catastrofaal verraad zou zijn als de wereld te weten kwam dat het gezin Breakstone niet volmaakt was.

Het geheim dat haar zwaarder viel, dat de wereld nooit te zien mocht krijgen, was de droefheid die zich vlak onder haar glimlach verschool. Heather wist dat ze die moest opgeven of zich in plaats daarvan dankbaar moest tonen en ze wilde die ook graag opgeven, maar het voelde zo heerlijk om bedroefd te zijn. Haar favoriete moment van de dag kwam vlak voordat ze in slaap viel, als ze haar telefoon op de commode had gelegd, naar het verkeer luisterde en mijmerde over elke troosteloze stoot van een claxon, de willekeur daarvan, en alle volwassenen die zoveel haast hadden om waar dan ook heen te gaan.

Heather wilde zoveel van haar gedachten op papier zetten, maar ze besefte dat een dagboek om meer privacy vroeg dan haar Moeder kon verdragen en dus hield ze heel veel voor zichzelf, of luchtte ze haar hart op fluistertoon, als ze voor de spiegel aan de binnenkant van haar slaapkamerdeur zat. Ze geneerde zich voor de hormonale aanval die haar te wachten stond, maar door de boeken die ze van haar Moeder kreeg en de talloze lessen op school was ze er wel klaar voor en er altijd op gespitst. Ze meende dat ze wel wat highlights in haar haar kon gebruiken en een van haar tanden stond scheef en ze was nog te jong om het zeker te weten maar het leek erop dat ze een gave huid zou krijgen en dat was een cadeautje.

Ze deed mee met de klaagzang van de andere meisjes over hun gewicht of hun ongelijke borsten, maar werd zich er wel steeds meer van bewust dat ze met haar lange lijf, lange benen, smalle heupen en de C-cup waar ze nu bijna aan toe was een bijzonder, zij het niet volmaakt figuur had, en zo langzamerhand ontdekte ze wat dat allemaal te betekenen had, als ze tijdschriften doornam, over straat liep of werd aangestaard door een van die bouwvakkers op het moment dat ze hun appartementencomplex in- of uitliep.

Ze besefte nu dat haar vriendinnen gezien wilden worden en zich voordeden als stoute meiden, dat was voor hen de beste manier om zowel hun ouders te provoceren als een zekere vorm van aandacht te krijgen. Ze had eigenlijk haar twijfels over hoeveel aandacht ze kon verdragen en deed alleen maar met haar vriendinnen mee om te voorkomen dat ze voor kleuter werd uitgemaakt of dat ze zich nog meer jaloezie op de hals haalde door aan haar lijst van volmaaktheden ook nog die van de onschuld toe te voegen. Dus elk moment dat ze buiten het zicht was van haar ouders, of ze nu naar school liep of terug, door Central Park wandelde of zelfs als ze zich verscholen hield op het dak van hun gebouw, begon ze net als zij op luide toon in haar telefoon te praten, sigaretten te roken, kauwgom te kauwen, make-up te gebruiken en zich uitdagend te kleden, wat bijvoorbeeld inhield dat ze haar schooluniform tijdelijk aanpaste door de tailleband om te slaan en zodoende haar rokje iets op te kunnen trekken, en kleinere blouses te stelen van de afdeling Gevonden Voorwerpen, zodat haar borsten beter uitkwamen. Aan haar vriendinnen ontleende ze zelfs fantasieën over de meisjesachtige jongens die de liedjes zongen waarvan ze hielden en het vage scenario dat ze werd meegevoerd en omhelsd in het donker, en net als zij voelde ze wel iets voor het idee om hartstochtelijk te worden gekust, maar ze was doodsbang voor meer en wilde beslist niet verder gaan.

Heather vond het vreselijk dat ze niet meer met haar Moeder kon praten en had geen idee hoe het zo ver had kunnen komen, maar pijnlijk was het en ze was het spuugzat dat haar Moeder op gemaakt luchtige toon om intimiteit bedelde. Ze voelde hoe wanhopig haar Moeder zat te hengelen naar ook maar iets wat te maken had met Heathers seksuele gewaarwordingen, om te kunnen huilen en ervaringen te delen en haar met een gênante neerbuigendheid te overheersen.

Heather weigerde daar iets over te zeggen, hoewel ze besefte dat haar Moeder zou zijn gerustgesteld als ze wist dat op zo'n meisjesschool maar enkele meisjes aan seks deden en dat de jongens die Heather ontmoette allemaal net zo verlegen waren als zij of belangstelling hadden voor de paar meisjes die wel aan seks deden. Ze zou haar Moeder daar nooit iets van vertellen, want dat zou alleen maar de weg vrijmaken voor iets wat haar hoger zat, de monoloog die ze in gedachten voerde over haar almaar grotere weerzin tegen wie zij waren en wat ze allemaal hadden.

Hun postcode stond vrijwel boven aan de landelijke lijst van rijkeluiswijken, haar Vader bracht niets tot stand, haar Moeder voerde niets uit en hun appartement was niet supergroot, maar wel vol overbodige luxe en fluweel, ze consumeerden te veel en gooiden te veel weg en het ergste was nog dat het hun niets kon schelen. Hoeveel tropische eilanden konden ze nog bezoeken zonder acht te slaan op de buitensporige armoede, vlak buiten het hek van het vakantiepark? Haar ouders waren niet slecht, maar ze leefden met het zelfingenomen waanidee dat ze alles verdienden wat ze hadden.

Ze had geprobeerd hen elk voor zich te wijzen op de onrechtvaardigheid van hun positie, maar geen van beiden ging daartegen in en alsof ze het zo met elkaar hadden afgesproken noemden ze haar beiden hun kostbaarste bezit, met geen geld te koop. Ze wist wat haar ouders bedoelden, de liefde die ze daarmee tot uitdrukking brachten, maar ze wist ook dat ze waren aangestoken door een of andere welvaartsziekte waardoor ze nog maar half mensen waren, met espressoapparaten en bankrekeningen op de plek waar hun hart had moeten zitten.

Heather besefte dat ook zij daardoor was aangestoken en deed haar best om haar knagende behoefte om te shoppen en geld uit te geven te onderdrukken en plezier te hebben in normale dingen. Dus tegen de tijd dat de meeste bewoners uit het gebouw vertrokken en de verhuiswagens kwamen had ze besloten haar overweldigende zucht naar comfort en luxe te overwinnen en alle ongemakken rond de verbouwing te accepteren als de prijs voor een leven dat ze niet verdienden. Ze weerstond zelfs de neiging als een verwend kreng bij te dragen aan het dagelijkse, zij het gerechtvaardigde geklaag van haar Vader, wat haar zwaar viel, want het was heel irritant om almaar te worden beloerd door die Bouwvakker voor de deur.

Ze vond het hoe dan ook gênant haar Vader daarover te vertellen en ze wist dat haar Moeder zoals gebruikelijk niets in de gaten had, want op een keer toen ze een postpakket zochten en de Conciërge weg was had Heather voorgesteld navraag te doen bij de Bouwvakker voor de deur, en haar Moeder had geen idee over wie ze het had. Heather had gezegd dat hij de enige blanke was en hoewel hij kaal leek, had hij in werkelijkheid zilverachtig gemillimeterd haar en de soepele huid, strakke kaken en helderblauwe ogen van een jonge man.

Ze kon haar Moeder niet vertellen dat ze elke dag nieuwsgieriger naar hem werd, naar waar hij vandaan kwam, hoe hij was en hoe het kon dat hij zo knap was en in de afgelopen twee maanden werkdagen van tien uur had gemaakt om hun luxueuze appartementencomplex te renoveren en dat haar Moeder hem niet eens zag staan. Misschien, bedacht Heather, zou hij haar Moeder zijn bijgebleven als hij net zo naar haar had gekeken als naar Heather, vooral die een of twee keer dat hun ogen elkaar hadden ontmoet en ze het gevoel had dat ze naakt op de stoep stond.

Het zou haar Moeder ongetwijfeld hebben dwarsgezeten, zoals dat Heather eerst ook had gedaan. Het had haar geërgerd en later had ze zich boos gemaakt, omdat het haar eraan herinnerde wat mannen zich allemaal meenden te kunnen permitteren, terwijl ze het recht niet hadden een vrouw alleen al met zo'n blik lastig te vallen. Maar het enige wat hij deed, was kijken, nietwaar, en hij had nooit naar haar Moeder gekeken en na verloop van tijd besefte Heather dat hij haar op een of andere manier in haar geheel zag.

Voor zover ze wist stond hij daar elke dag en op de weinige dagen dat hij er niet stond, kon ze haar Moeder niet vertellen dat ze zich afvroeg of hij haar was vergeten. Ze kon niet uitleggen waarom het haar totaal niet meer stoorde en dat ze op de meeste avonden aan hun vluchtige ontmoetingen dacht en hem voor zich zag of zich een beeld van hem vormde, en ze besefte dat hij met zijn blik en meer nog met zijn pogingen om weg te kijken haar een schrijnend warm gevoel gaf in haar maag dat helemaal doorliep naar beneden.

Ze wilde met hem praten. Ze wilde tegen hem zeggen dat ze anders was dan haar moeder, dat ze voor iedereen oog had en wist dat hij op een akelige manier werd gedwongen zich te gedragen als een ondergeschikte. Ze wilde niet op hem neerkijken als een verwend rijkeluiskind dat naar een particuliere school ging en daar woonde met alles wat ze had. Ze kon alleen maar raden naar de ellende en de omstandigheden die maakten dat iemand in een dergelijke situatie verzeild raakte en vroeg zich af of hij intelligent was en hoe zijn stem klonk en of ze ooit iets kon betekenen voor mensen die het aan van alles ontbrak. Ze zou haar moeder nooit kunnen vertellen dat ze zichzelf op een dag zou vervolmaken door haar hart te laten spreken en alles weg te geven, waaronder zo nodig zichzelf, zodat iemand profijt zou hebben van alles wat zij in de loop der jaren zonder moeite hadden bijeengebracht. Het kwam erop neer dat ze de Bouwvakker wilde zeggen dat ze hem zag staan.

'Is mijn Moeder al thuis?'

Bobby hoorde de stem, wist wie het was en kon niet geloven dat ze zo dichtbij stond. Hij keek op, kon geen woord uitbrengen, zag hoe de wind de haren in haar mond blies en keek toe hoe ze die met één volmaakt gekromde vinger tussen haar volle lippen vandaan haalde. Ten slotte wist hij uit te brengen: 'Nog niet,' en waarschijnlijk had hij te lang naar haar gekeken voordat hem te binnen schoot dat hij moest glimlachen, maar ze accepteerde het en glimlachte terug en na een kort moment liep ze naar binnen met haar rokje dat hoog tegen haar kont aan zwiepte.

Die avond herbeleefde Bobby elke seconde van hun contact. Er was zo veel gebeurd en ze hadden zich beiden zelfs nog beter gedragen dat hij had gehoopt, met zij die hem niet alleen had aangesproken, maar ook had uitgenodigd stoute plannetjes met haar te smeden voor als haar Moeder van huis was. Hij probeerde het niet groter te maken dan het was, maar zijn verbeelding nam hem mee naar haar slaapkamer waar ze hem had uitgenodigd en hij zag voor zich hoe hij bij haar naar binnen drong en het gevoel had dat ze als de binnenkant was van zijn Moeders kimono.

De week daarvoor was het Halloween geweest en Bobby wist dat hij geen masker kon dragen, maar het beviel hem als volwassenen dat deden en hun suffe kop verstopten en wat hij vooral leuk vond was dat Heather zich had verkleed als een poesje met een zwarte stip op het puntje van haar neus alsof ze tegen een hordeur was opgelopen. Hij was opgestaan toen ze die dag zijn kant op kwam, want zijn rug deed pijn van het harde zwoegen om maar nooit zijn werk kwijt te raken. Hoe dan ook, toen hij haar zag bleef zijn lichaam kalm en zijn spieren ontspanden zich als vanzelf. Het was mogelijk, dacht hij, dat ze aan elkaar gewend raakten. Die dag toen ze helemaal in het zwart was langsgelopen besloot hij dat er eigenlijk maar één echte test was, namelijk of ze hem zou aanspreken en zodoende het bewijs zou leveren dat ze het waard was, door uit haar eigen wereld te stappen en te smeken om in de zijne te worden toegelaten.

En nu ze hem ook echt had aangesproken, was hij dolgelukkig, blij verrast en harder dan ooit. Hij had gehoopt dat hij haar zijn wil op kon leggen of haar daartoe kon dwingen, maar toen ze sprak, leek ze aan haar eigen wil te gehoorzamen, niet aan die van hem. Heather was een geval apart, dat was wel duidelijk, meer nog dan hij al had begrepen. Was het mogelijk dat hij meer wilde dan haar voor zichzelf nemen? Haar dood door zijn toedoen, dat zou verrukkelijk zijn, en Bobby had gemeend dat het hun beider lotsbestemming was, maar ineens zag hij wat dat in feite was: iets tijdelijks. Alle beelden in zijn hoofd ondergingen een verandering en nu wilde hij dat ze uit zichzelf kwam en hij kon nauwelijks wachten tot hij haar de volgende ochtend in die situatie zou zien, dus wat zou er gebeuren als ze er echt niet meer was?

Vijf

VANWEGE DE BOUWACTIVITEITEN stond het verkeer in de straat van de familie Breakstone continu vast en samen met de opeenstapeling van vuilniszakken en de vallende bladeren bood dat Mark de volgende dag dekking gedurende de enkele zenuwslopende minuten van Heathers vertrek en terugkeer. Hij wist niet goed wat hij daar nu eigenlijk deed, behalve dat hij klaarstond om Heather te hulp te schieten en natuurlijk omdat hij bewijs zocht, niet om Karen voor de voeten te werpen maar om door te geven aan de politie. Hij wist dat hij iets moest doen na die dag twee keer te hebben gezien dat zijn dochter en de Bouwvakker elkaar zwijgend waren gepasseerd, rakelings als de poppetjes op een middeleeuws uurwerk.

Karen was nog steeds aan het mokken en Mark slaagde erin zich lief en schuldbewust te gedragen alsof hij te veel had gedronken op een feestje. Die avond toen ze naar bed gingen besefte ze niet dat Mark zich inbeeldde de steiger los te maken, de elektrische bedrading in de vochtige kelder door te snijden of, wat hem het meest bezighield, de Bouwvakker mee naar boven te lokken en hem daar neer te schieten omdat hij zijn dochter had lastigvallen, dat was algemeen bekend, en hun appartement was binnengevallen met het keukenmes dat Mark na afloop in zijn hand zou drukken. Het lukte Mark uiteindelijk in slaap te vallen, maar pas nadat hij zichzelf had gesust door zich herhaaldelijk een voorstelling te maken van de Bouwvakker die doodging, veelal doordat hij hem met blote handen de keel afkneep.

Een paar dagen later vertrouwde Mark zijn assistente toe dat hij op zoek was naar een nieuwe baan en vroeg hij haar hulp bij het verdoezelen van zijn vreemde werkschema. Hij was twee keer per dag twee uur lang zijn appartement in de gaten gaan houden en zag hoe onbezonnen de Bouwvakker was bij hun rituele ontmoetingen, hoe doorzichtig voor iedereen behalve zijn dochter, en dat de andere werklui net zozeer op hun hoede voor hem leken als Mark. Ze reisden samen, opeengepakt in roestige pick-uptrucks met nummerborden uit New Jersey, maar lieten de Bouwvakker altijd achter in de laadbak zitten, op zijn knieën. Een paar keer per dag gingen ze samen koffiedrinken en dan rookten ze en kletsten ze, maar zonder de Bouwvakker, die vrijwel nooit in het penthouse kwam, waar het meeste werk werd gedaan, terwijl ze hem wel altijd de zwaarste klussen gaven en hem zelfs niet uitnodigden samen met hen te gaan lunchen.

Marks waakzaamheid bleef onverminderd, gevoed door zowel zijn behoefte om Heather te beschermen als zijn angst dat hij werd opgemerkt. Hij wist dat hij hoe dan ook een excuus paraat moest hebben voor als Karen, Heather of een van de buren hem daar zag staan, of anders voor de mensen op straat, de toeristen, kinderoppassers, postbodes, scholieren en vrouwen in yogabroeken. Maar Mark werd niet opgemerkt en zijn oplettendheidheid werd beloond op de dag dat Heather terugkwam van school en hij zag dat ze met de Bouwvakker sprak.

Heather had zelf het initiatief genomen, het duurde maar kort en de Bouwvakker leek net zo verbluft als Mark. Het deed er niet toe wat ze hadden besproken, of ze elkaar al kenden en hoe verlegen de Bouwvakker had gereageerd. Het enige wat telde voor Mark was dat zijn dochter haar onschuldige hand met een vriendelijke glimlach in het vuur had gestoken en dat de Bouwvakker Mark totaal niet had gezien.

Het enige wat voorkwam dat Mark volledig in paniek raakte was zijn instinctieve besef dat zich hier een mogelijkheid voordeed. Hij begon onmiddellijk zijn afwegingen te maken. Het ging hier om een al wat oudere, ongeschoolde en waarschijnlijk onontwikkelde dagloner die zich maar net staande hield in de marge van de samenleving, zonder vakbond, geld of welk vangnet dan ook, op een heel gevaarlijke bouwplaats. De lucht werd kouder en grijzer en Mark zag Heather ten slotte naar binnen stappen en hij wachtte af, stond daar nog twee uur lang te huiveren, totdat de werklui het voor gezien hielden en de Bouwvakker in de laadbak klom.

Mark overwoog een internetcafé op te zoeken om te kijken waar hij een wapen kon kopen zonder een elektronisch spoor achter te laten op zijn telefoon of computers, maar hij vroeg zich af wanneer hij voor het laatst een internetcafé had gezien en besloot de volgende ochtend gewoon naar de bibliotheek te gaan. Hij nam aan dat er maar één praktische oplossing was, namelijk om net als de miljardairs een eigen lijfwacht in te huren om zijn gezin in de gaten te houden en te beschermen.

Toen Mark eindelijk binnenkwam gaf hij Heather een knuffel, wierp Karen een glimlach toe en bedacht dat hij zijn baas kon vragen naar een betrouwbaar, discreet beveiligingsbedrijf. Hij ging naar bed met het voornemen dat de volgende ochtend te doen, hoewel hij inmiddels besefte dat hij niemand om hulp wilde vragen, sterker nog, hij wilde voorkómen dat hem vragen werden gesteld en die nacht viel hij zonder moeite in slaap, uitgeput na eindelijk tot een beslissing te zijn gekomen.

De dromen van Mark waren die nacht zo levensecht dat hij zich afvroeg of hij wel sliep. Hij zag zichzelf de ladder van de steiger beklimmen, langs de buitenkant van het gebouw, en hij keek uit over zijn buurt naar de boomtoppen van het park, en daarna de andere kant op, naar de torenspits van een kerk en Park Avenue met zijn waas van gele taxi's. Vervolgens keek hij naar binnen in de slaapkamer van Heather. Ze was er niet en dus keek hij door zijn eigen slaapkamerraam en zag daar Heather op hun bed liggen met haar gezicht naar het plafond en alleen sokken aan, opengesneden als een hert, bloedeloos op hun dekbed van witte chenille.

Vreemd genoeg vond hij dat niet gruwelijk en ineens stond hij in de kamer aan de voet van het bed en haar verminkte lichaam sprak hem toe, met een gezicht dat leefde en normaal was. Ze zei iets in de trant van: 'Papa, waarom heb je me dit aangedaan?' Dat waren precies haar woorden en toen die droom voor de derde keer leek te worden herhaald wist hij dat het een droom was en maakte hij zichzelf wakker, in de verwachting dat hij misschien wel nooit meer wilde slapen.

Mark hechtte geen geloof aan het bovennatuurlijke en kende dromen geen enkele voorspellende waarde toe. Hij wist dat dit beeld alleen tot uitdrukking bracht wat hem bezighield als hij wakker was en het was ook niet bepaald moeilijk te duiden. Het betekende dat hij bang was voor Heathers leven en als er iets met haar gebeurde, wist hij, zou zelfs zij beseffen dat hij verantwoordelijk was. Hij zat in de gang voor de slaapkamerdeur van zijn dochter, probeerde haar hersenschimmige beschuldigingen uit zijn gedachten te bannen en raakte ervan doordrongen dat de droom misschien nog een andere betekenis had. Stel dat Karen nu eens gelijk had? Stel dat hij werd overstelpt door irrationele ideeën? Wat had hij eigenlijk gezien behalve gewoon een man, en God wist hoeveel mannen er waren die zijn dochter wilden?

Hij weigerde de walgelijke dingen te geloven die Karen had gesuggereerd, maar ze had hem misschien wel op een gedachte gebracht en misschien had hij zich laten meeslepen en die droom gekregen omdat hij in de afgelopen paar dagen geen andere gedachten had toegelaten. Hij was niet abnormaal, dat wist hij. Hij was niet jaloers op die mannen, niet op zo'n manier, en al moest hij er niet aan denken dat iemand zijn dochter zou penetreren, hij wilde ook zeker niet hun plaats innemen als minnaar. Het enige wat hij wilde was dat zijn dochter voor altijd bleef zoals ze was. Mark begreep dat hij Heather moest loslaten, dat hij haar moest laten opgroeien en moest accepteren dat hun relatie zou veranderen, want dat was wat ouders deden. Hij wist dat het zijn hart zou breken en dat was normaal.

*

Karen kon haar frontale aanvaring met Mark niet van zich afzetten. Eerst had ze zich schuldig gevoeld, in het besef dat ze er zelf aanleiding toe had gegeven met haar dubieuze aannames over hoe hij dacht, en toen ze tegen hem was uitgevallen, was dat alleen maar ter verdediging van die idiote fout. Hij was zijn baan niet kwijtgeraakt. Hij had geen affaire. Het was niet meer dan een misverstand tussen hen tweeën en ze kon zichzelf wel een schop verkopen dat ze bij de minste of geringste aanval haar emoties niet onder controle kon houden, maar hij had toch echt niet goed wijs geleken en uiteindelijk was het misschien ook voor hem een excuus geweest om zijn ware gevoelens te tonen. Het was hard, wat Mark had gezegd, maar het bevestigde haar geloof dat hij volstrekt de waarde niet inzag van wat ze deed. Maar het was ook goed dat Mark het had gezegd, want nadat ze jaren achtereen steeds minder waardering had gekregen, was nu tot haar doorgedrongen dat ze meer voor zichzelf moest doen.

Ze had ook meer mensen nodig in haar leven. Omdat ze zo vaak onder vreemden verkeerde was ze te veel in haar hoofd gaan leven en ze was vaak angstig en ontregeld. Ze had altijd hechte vriendschappen willen hebben, maar nu zag ze in dat haar hele leven een competitie was geweest, wat het slechtste in mensen naar boven brengt, en haar meeste contacten waren oppervlakkig, met gesnoef van alle kanten. Karen hoopte dat het mogelijk was een hartsvriendin te vinden, nu de dames allemaal in dezelfde mate waren vernederd door hun rebellerende tieners, seksloze huwelijken, eetobsessies en hypotheekproblemen.

De dag na de grote ruzie met Mark herinnerde Karen zich een moeder op school die uit beeld was verdwenen toen haar dochter voor de duikclub had gekozen in plaats van de debatclub. Karen had haar altijd sympathiek gevonden en ze was altijd heel vriendelijk geweest en vertelde grappige verhalen uit de praktijk van haar man, een bekend echtscheidingsadvocaat. Karen belde haar onder het mom van een mogelijke geldinzamelingsactie, bedoeld om de reiskosten te vergoeden van kansarme kinderen die meededen aan de activiteiten van hun beide dochters. Ze was zenuwachtig toen ze belde en boorde haar professionele vermogens van jaren geleden aan door zelf een naam te bedenken voor een niet-bestaand evenement; nadat ze een paar woordspelingen had verworpen die te maken hadden met zwemmen en debatteren was ze uitgekomen op: 'Het feest van de rivalen!' Diezelfde dag gingen ze samen lunchen en al waren ze geen van beiden heel openhartig, Karen had er plezier in dat ze een van die mensen was die kritisch en laatdunkend spraken over filmsterren en beroemdheden, en vooral over hun liefdesleven en privé-escapades.

De volgende dag kreeg Karen werk bij de kringloopwinkel van een ziekenhuis op Second Avenue, op vrijwillige basis natuurlijk, maar wel vijf dagen per week en vijf uur per dag, met een eigen voordeursleutel. Dat werk leverde haar meteen al profijt op, want de andere vrouwen die er werkten, onder wie veel exkankerpatiënten, waren ouder of leken ouder, zodat de mannen die daar kwamen, meestal op zoek naar een Burberry, naar Karens aandacht hengelden en met haar flirtten zodra hun echtgenotes de andere kant op keken. Ook de winkel profiteerde ervan, want al na twee dagen was Karen de belangrijkste klant door zich met een kennersblik te buiten te gaan aan allerlei luxeartikelen, vooral de tweedehands haute couture waarvoor ze met haar relatief jeugdige leeftijd en getrainde lichaam de enige klant was.

Karen legde die kleren achter in de winkel, bij de sieraden en koffers die ze had gekocht, en als ze pauze had, ging ze die passen en vroeg zich af of ze vermaakt moesten worden en wanneer ze die kon dragen en of een koffer bij haar nieuwe, oude uiterlijk paste. Door dat ritueel was ze ineens blij met haar privacy en ze vroeg zich af waarom ze zo lang zo weinig voor zichzelf had gedaan, en besefte dat Mark geen idee had hoe gelukkig hij was. Ze was slank en vol van leven en ze pasten totaal niet bij elkaar, want hij was nog net zo lelijk als op de dag dat ze elkaar voor het eerst hadden ontmoet.

Er was nauwelijks een week voorbijgegaan sinds Mark haar had uitgefoeterd en zijn pogingen om zich te verontschuldigen hadden haar al net zomin overtuigd als zijn hernieuwde vriendelijkheid. Zijn stralende glimlach, misschien dat Heather erin zou trappen, maar Karen zag de barstjes in zijn mondhoeken en de donkere kringen rond zijn ogen die zijn frustratie verrieden. Die avond lag ze wakker in bed en ze had met hem te doen, zo klein als hij was nu hij zijn tanende potentie in stelling bracht tegen denkbeeldige vijanden.

Misschien dat ze nu toch die inzamelingsactie wilde doen en Heather met haar hang naar liefdadigheid kon misschien net voldoende belangstelling opbrengen om voorzitter te willen zijn van de leerlingadviesraad. Karen was heel blij dat haar vriendin – binnenkort een van de velen – het werkelijk een geniaal idee vond en een etentje wilde organiseren en haar man, de echtscheidingsadvocaat, erbij wilde betrekken, die hen op allerlei manieren verder kon helpen. Karen lachte zichzelf toe in het donker en Mark schrok ineens wakker, bezweet en angstig, waarna ze hem zonder medelijden haar rug toedraaide, ervan overtuigd dat hij plotseling besefte dat ze sterk was en sterker werd, met een almaar scherpere geest die moeiteloos met ideeën kwam, grootse ideeën.

De volgende ochtend nam Mark een douche en ging naar zijn werk, blij dat hij een dagelijkse routine had om op terug te vallen, vooral omdat hij doodop was en zich teweer moest stellen tegen de vlagen van misselijkheid, elke keer als die vreselijke droom door zijn hoofd schoot. Hij moest hardlopen, maar had de energie niet. Het liet hem allemaal niet los: de Bouwvakker, het gezicht van Heather en natuurlijk het oordeel van Karen, en nu vroeg hij zich af of hij zich expres met al die dingen bezighield om de echte crisis uit de weg te gaan. Het klopte dat zijn baan op het spel stond en zijn appartement werd gerenoveerd, maar zijn onvrede was al van eerder en hij keek uit het raam, naar de skyline van Manhattan met de stalen geraamtes en hijskranen, en voelde de eenzaamheid. Op een dag was Karen gewoon gestopt met lachen om zijn grapjes en merkte ze hem in het geheel niet meer op, en Heather was zijn publiek geworden.

Mark nam kleine slokjes van de waterige kantoorkoffie en vroeg zich af wat hem nog restte in het leven nadat hij dit kind had opgevoed. Had hij zijn geluk opgeofferd voor dat van hen? Vrijwillig, dat sprak vanzelf, maar Karen en hij waren ver uit elkaar gegroeid en de meeste mannen zouden gaan nadenken over een verse start met de helft van hun geld en een andere vrouw. Heather was getuige geweest van hun ellende en oud genoeg om te begrijpen dat scheiden nog wel het beste was. Maar toch kon Mark, ondanks de hele maatschappelijke machinerie die zich bezighield met echtscheidingen en hoe je daarna verderging, zich niet voorstellen hoe sterk je moest zijn om zoiets door te zetten.

Zijn Vader, de footballcoach, was een fysiek type geweest en al vanaf het moment dat Mark was teruggedeinsd toen hij voor het eerst het gekreun van een tackle hoorde tijdens een scrimmage, had zijn Vader hem voor een bangerik aangezien. Natuurlijk was hij bang. De onderarmen van zijn Vader waren gigantisch, zijn humeur was grillig en op elk terrein van zijn leven nam hij zijn verlies hoog op, dus Mark had geleerd een pak slaag te incasseren en zich zodanig aan te passen dat hij zulke eenzijdige confrontaties uit de weg kon gaan. Mark moest hardlopen, en niet met een omtrekkende beweging, niet van huis en weer terug, maar één kant op, weg van huis, tot hij niet meer verder kon en te moe was om nog iets te ondernemen, behalve opnieuw beginnen op de plek waar hij was uitgekomen.

Vlak voor de lunch besloot Mark naar huis te gaan om zijn hardloopkleren op te halen en toen hij zijn jas aan had, wiste hij de foto van de Bouwvakker op zijn telefoon. Die wekte zijn afkeer en woede en hoewel hij voor een kort moment genoegen beleefde aan die welbewust symbolische daad, vroeg hij zich af of het vandaag de dag echt mogelijk was iets te wissen.

Toen hij naar buiten stapte, het grijze middaglicht in, was hij kalm, hield een taxi aan en voelde een tinteling in zijn neus, iets wat rook naar de eerste winterse dag. Hij dacht aan Heather, dat die gevoelens allemaal niet zouden hebben bestaan als ze een jongen was geweest. Hij erkende ook voor zichzelf dat ze zwaar beschadigd zou raken als haar ouders gingen scheiden en dat hij de laatste tijd door een tekort aan slaap en lichaamsbeweging in de ban was geraakt van irrationele emoties.

De komende jaren zouden waarschijnlijk zoals gepland verlopen en Karen en hij zouden samen zijn totdat een van hen alleen achterbleef, ervan uitgaand dat ze geen van beiden hun verwachte levensduur voorbijstreefden. Vanuit het perspectief van een ouder persoon zag hij Heather een opzienbarend leven leiden als advocaat of wie weet de president en dankzij hem zou ze niet zo eindigen als zijn arme Zus, die de uithongering had geperfectioneerd en nooit te weten was gekomen welke vooruitzichten aan dat wapenfeit voorbijgingen.

Toen Mark uit de taxi stapte kwam het als een opluchting dat de bouwploeg weg was voor de lunch, maar toen hij door de lobby naar de lift liep, zag hij dat ook de Conciërge er niet was en dat de Bouwvakker boven op de radiator van de cv op zijn telefoon zat te kijken en een papieren zak had waaruit hij iets alcoholisch dronk, naar Mark aannam. Mark wachtte op de lift en zijn vaste voornemen om zich nergens iets van aan te trekken werd tenietgedaan door de haren in zijn nek, die rechtovereind kwamen te staan. Hij keek over zijn schouder en ving nog net de starende blik op van de Bouwvakker.

Hun contact was kort geweest, maar totaal en Mark voelde een druk in zijn ingewanden alsof hij het ter plekke in zijn broek zou doen. Het viel nu niet meer te ontkennen dat er een beest in hun lobby huisde, met een lome oogopslag die sprak van een onverschillige wellust, gekromde en gespannen schouders, klaar om toe te slaan. Mark voelde zijn hart bonzen en vroeg zich af hoe lang dit monster nog bij hem voor de deur zou liggen, pas tevreden als het zijn kind te pakken kreeg.

Toen de liftdeur openging, had Mark naar boven moeten gaan om zijn hardloopkleren aan te trekken en weer weg te gaan, maar in plaats daarvan hield hij de deur met zijn onderarm tegen. Zijn keel was bijna te droog om iets uit te brengen en in de hoop dat zijn angst er niet in doorklonk vroeg hij de Bouwvakker of iedereen uit lunchen was. Hij kon niet geloven dat hij had gesproken, en hard, zodat elk van zijn schuldige lettergrepen door de marmeren muren werd weerkaatst. De Bouwvakker gaf een bevestigend knikje en Mark begreep dat hij die ochtend met het wissen van die foto ver op de gebeurtenissen was vooruitgelopen. Het was waarschijnlijk al uren geleden dat hij had besloten wat hem te doen stond, waarna hij in afwachting was geweest van een gunstige gelegenheid en was begonnen met het wissen van zijn sporen.

*

'Kunt u me misschien helpen om boven iets te verplaatsen?' vroeg Heathers Vader. Bobby voelde zich even in het defensief gedrongen toen haar Vader wat kribbiger dan gewoonlijk naar binnen kwam gestampt en omdat het niet de bedoeling was dat de bouwvakkers in de lobby aten en al helemaal niet dat ze daar bier dronken, dacht Bobby dat die ouwe hem misschien op zijn donder wilde geven of hem zou verlinken bij de Ploegbaas. Bobby had hem eigenlijk nooit zo goed bekeken; de man boeide hem niet en in Heathers gezelschap stond hij alleen maar in de weg en zoemde als een irritante vlieg om haar heen. Van dichtbij was hij precies zoals Bobby had gedacht, een van die klojo's die dacht dat de hele wereld alleen maar voor hem werkte, en al zette hij een stem op alsof hij heer en meester was, hij bleef gewoon een bolle vent en een angsthaas, vooral vandaag zonder zijn chique aktetas.

Wat niet betekende dat Bobby zichzelf het plezierige vooruitzicht wilde ontzeggen om de woning van Heather binnen te gaan en dus sjokte hij naar de lift, met gebogen hoofd om zijn gretigheid te verbergen. Boven in de hal stormde Heathers Vader op de deur af, maar hij kon niet meteen zijn sleutel vinden en keek zo vaak over zijn schouder dat Bobby zich afvroeg of hij hulp wilde. De voordeur ging eindelijk open en ze werden overvallen door een hittevlaag die zo doordrenkt was van de luchtjes van Heather dat Bobby houvast zocht in de deuropening.

Hij volgde Heathers Vader door de smoorhete hal, langs de luxueus ingerichte woonkamer en naar een smalle gang waarop de slaapkamers uitkwamen, zoals Bobby wist. Hij keek of hij ergens een spoor van haar zag, een schoen, een sweater, en voelde de verleiding om een andere kant op te gaan of haar pa gewoon te wurgen en in haar slaapkamer te wachten tot ze thuiskwam. Maar hij liep gewoon verder en luisterde naar het gesnoef van haar Vader, die nu hevig zweette en hem meenam naar de keuken waar de buitenlucht door het geopende raam naar binnen woei.

Bobby had veel van dit soort mooie appartementen gezien, maar altijd vanaf de steiger en hij was nooit binnen geweest, tenzij ze werden uitgebroken of verbouwd. De woning zou groter hebben geleken als er niet zoveel spullen stonden, maar toch voelde hij zich overweldigd door de witte muren, het groene tapijt, al die tv's en koperen snuisterijen, en hij wilde op die gestoffeerde rode stoelen zitten en whisky drinken uit zo'n kristallen glas. Hij wist dat dit de mensen waren die continu naar de film gingen, in restaurants aten, met het vliegtuig reisden en overal paardenfoto's op plakten.

Hij keek naar haar Vaders rug en bedacht dat die arme stakker waarschijnlijk zo slecht nog niet was; hij had een vrouw met grote joekels en samen hadden ze Heather gemaakt. Sterker nog, alles hier was door hen gemaakt of ze het nu leuk vonden of niet, dat hadden ze allemaal voor hem gedaan.

Bobby liep de keuken in waar de kastjes en zelfs de koelkast glazen deuren hadden en tot de nok toe waren gevuld met eten, en probeerde zich voor te stellen waartoe dit allemaal kon leiden. Voor het eerst gingen zijn gedachten veel verder dan haar doden. Hij zag haar in een lichtblauwe badjas aan het fornuis staan en een eitje voor hem bakken.

*

Tegen de tijd dat Mark bij zijn voordeur stond, had hij spijt de Bouwvakker zelfs maar te hebben aangesproken. In de lift hadden de twee mannen zo dicht op elkaar gestaan dat Mark moest kokhalzen van het bier, de sigaretten en de vuile kleren die hij rook en onder het gemillimeterde zilverkleurige haar van zijn slapen een onmiskenbaar bonzende ader ontdekte. Hij keek toe hoe de Bouwvakker de voordeur achter zich dichttrok, ertegenaan leunde en diep snoof alsof hij het appartement in zijn geheel wilde inhaleren. Mark wilde hem zijn rug niet toekeren, maar kon het risico niet lopen dat ze oogcontact maakten en zijn angst aan het licht kwam, en dus deinsde hij achteruit, weg van de Bouwvakker, en begon als een makelaar te oreren over de kamers van hun appartement.

Mark had zich al talloze malen voorgesteld dat hij hem zou doden, maar nu kwam het erop neer dat hij geen wapen had, geen grote moersleutel en zeker geen fysiek overwicht. Hij zou zijn handen nooit om die dikke nek heen kunnen slaan. Hij voelde een rilling over zijn rug lopen toen hij besefte niets anders te hebben gedaan dan het gevaar toe te laten in zijn huis, met de kans dat hij werd gedood door deze kleine ineengedoken aap die nog geen woord had gezegd.

Mark moest blijven lopen en inventariseerde elk wapen dat ze passeerden, de aardewerken paraplubak, daarna de kachelpook of de mahoniehouten humidor; ze liepen richting keuken. Daar lagen messen. Als hij de keuken als eerste bereikte kon hij naar het koksmes grijpen, zich omdraaien en hem daarmee overvallen. Of beter, wegvluchten naar de deur en de trap af rennen naar de straat.

Mark versnelde zijn pas en hoorde een paar stappen achter zich de zware laarzen, maar moest toen gewoon toekijken hoe de Bouwvakker hem voorbijliep, midden in de keuken bleef staan en zijn kant op keerde. Marks hart zonk in zijn schoenen en sloeg tegelijkertijd op hol. De Bouwvakker stond bijna twee meter bij hem vandaan en buiten zijn bereik, een log silhouet dat afstak tegen het heldergrijze licht uit het achterliggende raam.

Bobby keek om zich heen in de keuken, maar zag nu niets, zijn lichaam en geest te zeer in beslag genomen door de toekomst. Hij kon onmogelijk terug naar school, maar was goed in geld sparen en kon Heather een huis bezorgen, of nee, een thuis. Ze was rijk geboren, dus haar ouders zouden niet willen dat ze ooit zonder zat en ze zouden hen dus helpen, met alle plezier, want niemand werkte zo hard als Bobby en iedereen had daar respect voor. En als ze dan aan het koken was zou hij haar van achteren besluipen en zijn armen om haar middel slaan en dan zou ze met een glimlach over haar schouder kijken, zoals hij geliefden had zien doen op tv.

Afgezien van zijn blauwe ogen was het gezicht van de Bouwvakker donker en hij zette een stap richting fornuis. Mark voelde hoe zijn dijbenen zich aanspanden, waarna hij zich klein maakte als voor een tackle en zich met zijn volle gewicht op de heupen van de Bouwvakker stortte, hem achterwaarts in het lage openstaande raam stootte, met als gevolg dat Bobby zijn evenwicht verloor, dubbelklapte en er moeiteloos doorheen schoot om een val te maken van tien verdiepingen zonder zelfs maar een schreeuw te geven, waarna de doffe klap van zijn lichaam samenviel met de stoot van een claxon.

*

Karen had voor die dag een lunchafspraak geregeld met een vriendin uit haar tijd in de public relations, tegenwoordig werkzaam als directiesecretaresse voor de hoofdredacteur van een vrouwenblad. Karen wilde het hebben over haar hernieuwde ambities, maar ze haalden vooral herinneringen op en hoewel deze vriendin Karen niet had overvleugeld, kende ze veel verhalen over hun vroegere ondergeschikten die nu de scepter zwaaiden in de mediawereld. Karen wist weer waarom ze elkaar uit het oog waren verloren toen haar vriendin duidelijk maakte dat er voor Karen geen plaats was in de uitgeversbranche en dat die er misschien ook nooit was geweest en dat ze wellicht nog het best op haar plaats was als moeder die onbetaald werk deed voor liefdadigheidsorganisaties en kringloopwinkels.

Toen ze haar appartement binnenliep, voelde ze zich overmand door jarenlange spijt en een hittevlaag die wel eens het begin zou kunnen zijn van haar menopauze en ze baande zich een weg door de hete hal naar de verkoeling van de keuken. Mark zat in een T-shirt aan tafel met zijn hoofd op zijn ineengevouwen armen en achter hem blies een ijskoude wind door het wijd openstaande raam naar binnen. Ze noemde zijn naam en hij keek op met een krijtwit en gerimpeld gezicht dat ouder leek dan ze zich van die ochtend herinnerde, als ze die ochtend tenminste naar hem had gekeken.

Nu ze zag dat hij er beroerd aan toe was en behoefte had aan haar troost ging ze op haar knieën naast hem zitten en hij vertelde haar met een zachte, maar vaste stem dat hij de Bouwvakker uit het raam had geduwd en dat die nu dood op de grond lag, in de ruimte tussen de gebouwen in. Karen haastte zich naar het raam, keek naar beneden en zag Bobby's lichaam met een plas bloed rond zijn hoofd en een van zijn benen in een onmogelijke bocht, met een voet onder zijn schouder.

Ze ging naast Mark zitten en met horten en stoten legde hij een volledige bekentenis af waarmee hij alle schuld op zich nam, en al luisterend drong tot haar door dat hij hun levens had verwoest en ze gaf hem met volle kracht een klap in zijn gezicht. Mark reageerde niet, maar pakte eerst haar ene en daarna haar andere hand en keek haar recht aan. 'Ik weet het in mijn hart. Ik ben honderd procent zeker.' Hij zei: 'Dit gezin mag dan problemen hebben, maar zonder haar is er geen gezin.'

Ze hoorde hem aan en nam voor een kort moment de hele ruimte op en zag vanaf panoramische hoogte dat ze klein waren en alleen. Ze besefte dat hij nu niet helder kon denken en het hele appartement vroeg haar wat haar te doen stond en ten slotte barstte ze in tranen uit, met haar handen slap in haar schoot.

Mark staarde voor zich uit en toen ze zich weer een beetje had hersteld sprak ze hem streng toe, veegde haar ogen droog en stelde voor dat ze Heather zouden oppikken bij de debatclub om dan ergens wat te gaan eten en zo laat naar huis te gaan dat ze zich verbaasd konden tonen over wat er was gebeurd. Mark keek weer naar de grond en knikte en daarna stond ze op en liep naar het espressoapparaat en in de minuten daarop viel er een stilte, die alleen werd verstoord door het getinkel van het servies en het sissende geluid van de stoom toen Karen een cappuccino maakte voor haar man, waarna ze die voor hem neerzette en toekeek hoe hij eraan nipte alsof het een medicijn was.

*

Toen het gezin Breakstone enkele uren later naar het appartement terugkeerde verwachtte Karen dat de straat in het licht zou staan van politieauto's en dat ze haar best zou moeten doen om Mark wakker te schudden uit zijn versufte staat zodat ze in een geschokte pose tussen de toeschouwers door konden dringen om naar binnen te gaan. De agent van dienst zou er weinig over kunnen zeggen, er werd een onderzoek ingesteld, iedereen moest terug naar zijn eigen woning en proberen te verwerken dat er een ongeval was geweest, zoiets kon gebeuren en gelukkig dat ze allemaal in orde waren. Karen zou voorstellen de nacht in een hotel door te brengen en als ze Mark dan eindelijk zo ver kreeg om daarmee in te stemmen en te vertrekken, zou hij zijn arm troostend om hun dochter heen slaan, die met haar krachteloze hand een rugzak achter zich aan sleepte over het stoffige marmer.

Maar het gebouw was donker toen ze thuiskwamen, stiller dan ooit en schijnbaar verlaten, en dus gingen ze gewoon naar boven om te slapen. Mark was de eerste die in slaap viel, want hij had veel gedronken en niets gegeten in de bistro waar ze spontaan hadden gevierd dat Heather al in haar eerste jaar tot het wedstrijdteam was bevorderd. Karen wachtte tot het licht bij Heather uitging, waarna ze zich uitkleedde en naar bed ging zonder haar tanden te poetsen, en zonder toe te geven aan haar drang om te kijken of het lichaam van de Bouwvakker er nog lag.

Ze keek naar Mark die diep in slaap was en had kramp in haar buik van de zorgen. Ze besefte dat het de komende dagen en misschien wel tot ver in de toekomst haar taak was hem af te houden van elke aandrang om een bekentenis af te leggen. Ze zou in moeten gaan staan tussen zijn schuldbesef en het spook dat hetzelfde moment bezig was uit de steeg te verrijzen.

Karen sloeg hem gade in hun donkere slaapkamer en besefte dat hij zijn redenen moest hebben gehad, want ze kende hem en zou nooit bang voor hem zijn en ineens voelde ze zich van al haar zorgen bevrijd, want nu wist ze dat ze voor altijd met elkaar verbonden bleven. Ze begon hem aan te raken en toen hij reageerde, bedreef ze de liefde met hem, agressief en met haar bovenop, en hij die zo dronken was dat hij zichzelf compleet vergeten was en reageerde met de heftigheid van een hernieuwd verlangen.

Bobby's lichaam werd pas de volgende ochtend gevonden, toen zijn plaatsvervanger in de bouwploeg een plas deed in de steeg, waarna eerst de kranten en toen de lijkschouwer tot de conclusie kwamen dat zijn dood een werkongeval was. Heather was aangedaan door het tragische gebeuren en markeerde de plek met bloemen, waarna Mark en Karen een hele maand wachtten voordat ze hun appartement te koop aanboden.

DANKWOORD

Het schrijven van dit boek was een levensveranderende ervaring en een jeugddroom die uitkwam, en zoals alles wat ik ooit heb gedaan had ik het nooit in mijn eentje gekund. Ik spreek mijn dank uit in de volgorde van de aanmoediging en de ondersteuning die ik heb ontvangen.

Allereerst mijn dank aan A.M. Homes, die zo genereus was om niet alleen haar werk aan mij voor te leggen, maar die ook bespeurde hoeveel zorgen ik me maakte om de veranderingen in mijn schrijversbestaan en me het idee aan de hand deed om een tijdje naar de kunstenaarskolonie Yaddo te gaan, wat ze vervolgens ook mogelijk maakte. Zonder haar zou dit allemaal niet zijn gebeurd.

Ik ben veel dank verschuldigd aan het enthousiasme, de energie en de intelligentie van degenen die in het najaar van 2015 te vinden waren op Yaddo, onder wie Eric Lane, Patricia Volk, James Godwin, Christopher Robinson, Lisa Endriss, Nate Heiges, Gavin

Kovite, Rachel Eliza Griffiths, Pilar Gallego en vooral Isabel Fonseca en Matt Taber, die evenveel versies van dit verhaal te horen kregen als de bomen en me precies het juiste duwtje in de rug gaven.

Dank aan Semi Chellas omdat ze de eerste kladversie heeft doorgeploegd en me erop wees hoe je gebruik kunt maken van witregels. Ze is buitengewoon geliefd bij haar collega-schrijvers en weet bij iedereen iets van hun angst weg te nemen.

Mijn dank aan een aantal andere vroege lezers die me op een gammel schip daadwerkelijk de wind in de zeilen hebben gegeven: Ann Weiss, Richard LaGravenese, Bryan Lourd, John Campisi, Jeanne Newman, David Chase, Blake McCormick, Karen Brooks Hopkins, Amanda Wolf, Gabrielle Altheim, Molly Hermann, Joshua Oppenheimer, James L. Brooks, Jessica Paré, Sarena Cohen, Madeline Low, Erin Levy, Gianna Sobol, Abby Grossberg, Lydia Dubois-Wetherwax, Christopher Noxon, Milton Glaser, Lisa Klein, David O. Russell, Lisa Albert, Jack Dishel, Regina Spektor, Sydney Miller, Michele Robertson en mijn ouders, Leslie en Judith Weiner.

Dank aan Alana Newhouse dat ze de waarde inzag van zoiets vreemds als dit. Ze is iemand die vecht voor waar ze in gelooft en een kameraad voor altijd.

Dank aan mijn literair agent Jin Auh, voor het rotsvaste vertrouwen dat ze in me stelde en de passie waarmee ze verder iedereen benaderde. Ook aan Andrew Wylie en Luke Ingram van de Wylie Agency.

Dank aan mijn redacteur en bondgenoot Judy Clain, die mijn levenslange vertrouwen heeft gewonnen met haar buitengewone bekwaamheid in de omgang met zowel mensen als woorden. Ze heeft dit boek beter gemaakt en mij ervoor behoed het slechter te maken. Aan Reagan Arthur en zijn geweldige medewerkers bij Little, Brown and Company: Lucy Kim, Mario Pulice, Craig Young, Nicole Dewey, Jayne Yaffe Kemp, Mary Tondorf-Dick en Alexandra Hoopes.

Dank aan Francis Bickmore, mijn redacteur bij Canongate, wiens goede raad en goede zorgen onmisbaar waren.

Dank aan Jenna Frazier, mijn assistente; haar begrip, vaardigheid, perfectionisme en goede smaak waren tijdens het gehele schrijfproces een dagelijks richtsnoer.

Talloze mensen hebben me geholpen om schrijver te worden, niet alleen door me serieus te nemen, maar ook door ervoor te zorgen dat ik mezelf niet al te serieus nam. Er zijn docenten, mentoren, collega's en met name andere schrijvers die me hebben uitgedaagd en vermaand en antwoord hebben gegeven op mijn suffe vragen. Het zijn er te veel om op te noemen, maar Jeremy Mindich was de meest dierbare en standvastige vriend die iemand zich ooit zou kunnen wensen.

Goed, nu volgen de laatste namen, maar alleen omdat ze alles overtreffen. Dank aan mijn zonen Marten, Charlie, Arlo en Ellis. Jullie maken me aan het lachen, jullie maken me aan het huilen, jullie zorgen ervoor dat ik niet naar mijn werk wil en het is ongelofelijk hoeveel ik van jullie leer. Als ik groot word, hoop ik net zo te worden als jullie.

En dank aan Linda Brettler, mijn geliefde en de meest waarachtige kunstenares die ik ooit heb gekend. Waaraan heb ik dit geluk verdiend?